U0115486

方元珍 著

文史哲學集成

王荊公散文研究

文史哲出版社 印行

國立中央圖書館出版品預行編目資料

王荊公散文研究 / 方元珍著. -- 初版. --臺北
市: 文史哲, 民82
153018面 ; 21公分. -- (文史哲學集成 ; 282)
參考書目:面
ISBN 957-547-205-5(平裝) NT$ 260

1. (宋) 王安石 - 學識 - 中國文學 2. 中國文學 - 歷史與批評 - 北宋(960-1126)

825.85 82001694

文史哲學集成 ㉘②

王荊公散文研究

著者：方元珍
出版者：文史哲出版社
登記證字號：行政院新聞局局版臺業字五三三七號
發行人：彭正雄
發行所：文史哲出版社
印刷者：文史哲出版社
台北市羅斯福路一段七十二巷四號
郵撥〇五一二八八一二彭正雄帳戶
電話：三五一一〇二八
實價新台幣四二〇元
中華民國八十二年三月初版

ISBN 957-547-205-5

曾大父之文舊所刊行率多舛誤
政和中門下侍郎薛公宣和中
先伯父大資皆被
旨編定後罹兵火是書不傳比年
臨川龍舒刊行尚循舊本玨家藏
不備復求遺藁於　薛公家是正
精確多以　曾大父親筆石刻為
據其間參用衆本取捨尤詳至於
斷缺則以舊本補校足之凡百卷
庶廣其傳云紹興辛未孟秋旦日
右朝散大夫提舉兩浙西路常平
茶鹽公事王玨謹題

書影一　宋紹興廿一年王玨刻本（中央圖書館藏）

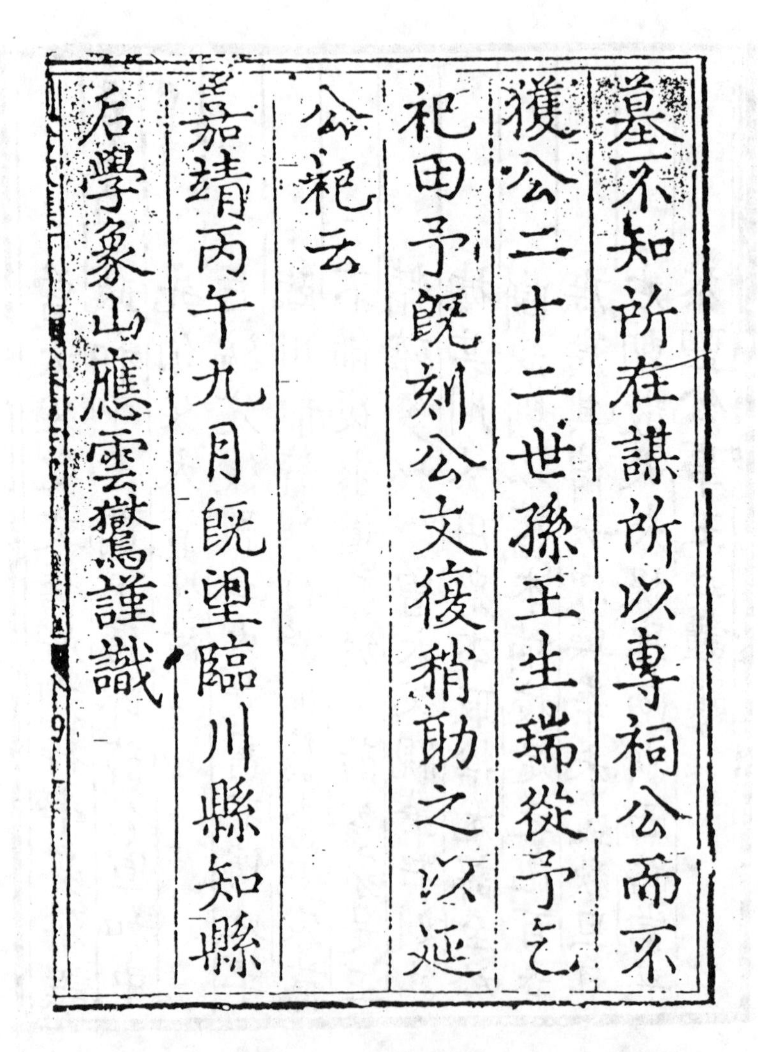
墓不知所在謀所以專祠公而不
獲公二十二世孫王生瑞從予乞
祀田予既刻公文復稍助之以延
公祀云
嘉靖丙午九月既望臨川縣知縣
后學象山應雲鸑謹識

書影二　明嘉靖廿五年應雲鸑刊本（中央圖書館藏）

聞望之解舟

法雲

彎碕

月夜二首

兩山間

元豐行示德逢

四山翛翛映赤日田背坼如龜兆出湖陰先生坐草室看踏溝車望秋實雷蟠電掣雲滔滔夜半載雨輸亭皋旱禾秀發埋牛尻豆死更蘇肥莢毛倒持龍骨挂屋敖買酒澆客追前勞三年五穀賤如水今見西成復如此元豐聖人與天通千秋萬歲與此同先生在野故不窮擊壤至老歌元豐

書影三　明嘉靖卅九年何遷撫州刊本（四部叢刊底本）

新刻臨川王介甫先生詩集卷一

宋荊公臨川介甫王安石　著

明豐城後學鎮靜李光祚　校

廿二世孫鳳翔率男維鼎繡梓

古詩

元豐行示德逢

四山翛翛映赤日田背坼如龜兆出湖陰先生坐草
室看踏溝車望秋實雷蟠電掣雲滔滔夜半載雨輸
亭皋旱禾秀發埋牛尻豆死更蘇肥莢毛倒持龍骨
桂屋敖買酒澆客追前勞三年五穀賤如水今見西

書影四　明萬曆四十年石城王荊岑光啓堂刊本

（中央圖書館藏）

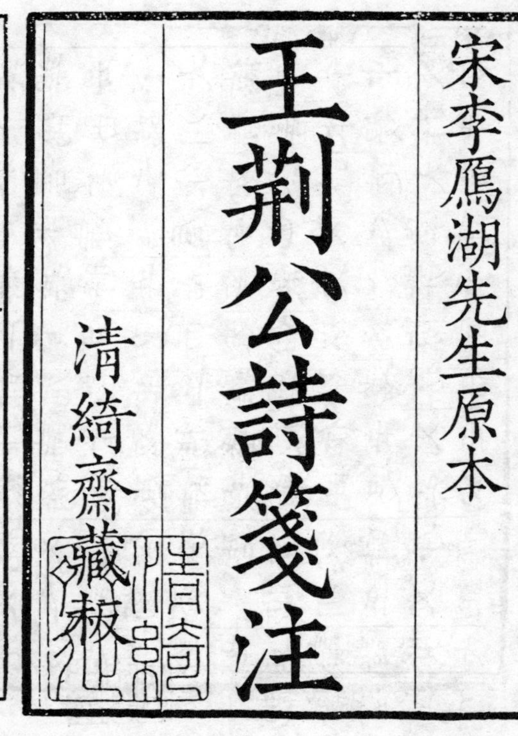
宋李鴈湖先生原本

王荊公詩箋注

清綺齋藏板

王荊文公詩卷之一

鴈湖李壁箋

古詩

元豐行示德逢 德逢姓楊與公隣曲○按王直方雜記德逢號湖陰先生丹陽陳輔浙西佳士也每歲清明過金陵上冢事畢則至蔣山過湖陰先生之居清談終日歲率以爲常元豐辛酉癸亥頻歲訪之不遇題一絶於門云北山松粉未飄花白下風輕麥脚斜身似舊時王謝燕一年一度到君家湖陰歸見其詩吟賞久之曾稱於舒王聞之笑曰此正戲君爲尋常百姓耳湖陰亦大笑

四山翛翛映赤日田背坼如龜兆出 詩子尾翛翛此借用○退之詩或如龜坼兆 湖陰先生坐草室看踏溝車望秋實雷蟠電掣雲滔滔夜半載雨輸亭皐旱禾秀發埋牛尻 子虛賦云亭皐千里師古曰爲亭候於皐隰之地○埋牛尻言久旱得雨禾皆怒長其高可沒牛尻也 豆死更蘇肥莢毛倒持龍骨掛屋敖 月令孟夏之月

王詩卷一　一

書影五　張宗松刻清綺齋藏本（中研院藏）

學[illegible]先儒之論也其論諸賢大
[illegible]言七言散文之誚獨於臨川王文正
[illegible]其喙者及觀文正公選唐百家詩序有
云廢日力於此良可悔也然欲觀唐詩者觀此足矣公
於選詩廢日力且如此況作詩乎又楊蟠後序云文正
公道德文章天下之師於詩尤極其工雖嬰以萬務而
未嘗忘之則知公之作詩坐費日力而未始以為悔宜
其法度嚴密音律諧暢而無異時五七言散文之弊予
故謂公之詩非宋人之詩乃宋詩之唐者也後之學詩
者能作如是觀當自有得於吾言之外方今詩道大昌
而建安兩書坊竟缺是集予偶由臨川得善本鋟梓于
考亭輙摭所聞者以繫其集端云　大德丙午中秋龍

書影六　張元濟刻《王荊公詩箋注》朝鮮活字本

（故宮博物院藏）

王荊文公詩卷之一

鴈湖 李 壁 箋註

須溪 劉 辰翁 評點

古詩

元豐行示德逢 德逢姓楊與公隣曲○按王直方雜記德逢號湖陰先生丹陽陳輔浙西佳士也每歲清明過金陵上冢事畢則至蔣山過湖陰先生之居清談終日歲暮以爲常元豐辛酉癸亥頻歲訪之不遇題一絕於門云北山松粉未飄花白下風輕麥腳斜身似舊時王謝燕一年一度到君家湖陰歸見其詩吟賞久之曾稱於舒王聞之笑曰此正戲君爲尋常百姓耳湖陰亦大笑

四山翛翛映赤日田背坼如龜兆出詩予尾翛翛此借用○退之詩或如龜坼兆湖陰先生坐草室看踏溝車望秋實雷蟠電掣雲

書影七　元大德五年安成王常刊本（中央圖書館藏）

王荆文公詩卷第一

雁湖 李 壁 箋註

須溪 劉 辰翁 評點

古詩

元豐行示德逢 德逢姓楊與公鄰曲

四山翛翛映赤日田背坼如龜兆出 詩鶉鵲子尾備此借用○周禮卜師掌開龜之四兆一曰方兆二曰功兆三曰義兆四曰弓兆○韓退之南山詩或如龜坼兆或若卦分繇

湖陰先生坐草室 按王直方雜記德逢號湖陰先生丹陽求陽新西庄士世每歲端明過金陵上郵事畢則至蔣山過湖陰

書影八　日本蓬左文庫藏朝鮮古活字本

大中丞宋公手授宋槧本

王荆公唐百家詩選

雙清閣藏板

書影九　清康熙四十二年宋氏雙清閣刊本

（故宮博物院藏）

自序

王荆公為我國歷史上震古鑠今之人物。行變法而為千古名相，倡新學亦為一代宗師，所言所行，皆風捲雲湧，振時代之因循，掃俗學之凡陋，成就炳煥之功業。然以派系之黨同伐異，理學家之抨擊聲討，致其政治主張、學術思想同陷無底深淵，黯淡無光；其散文作品，亦因人廢言，雖有八大之名，卻乏人問津，入其窔奧，令人徒興「千古斯文獨寂寥」之歎！吾師　更生　講授鑽研「唐宋文」多年，為文深造有得，幸蒙其啓迪指引，因有「王荆公散文研究」之撰著。

本書共計十一章，首章為緒論，說明寫作動機、範疇與命題之由來。次章簡述安石生平，以見作者心路歷程與作品之關係，三章介紹荆公所處之時代，對其思想言論之啓發，四章考索荆公之著作，以見其為學得力之所在，五章探究其散文淵源，六章闡發其文學觀，七章合論其散文體類與風格，八章至十章析論其散文之思想內涵，與謀篇、修辭之技巧，十一章綜觀荆公散文在文學史上之成就與影響，以為結論。

寫作期間，以荆公作品繁富，散文多達五百餘篇，且言出有據，唯一「王荆公詩文沈氏著」注本又缺漏不足，皆增益解讀之難度；而相關論述，散見於宋代以降之總集、詩文集、文話、筆記中，不僅蒐羅費時，且吉光片羽，成篇不易，辛賴王師更生於思考方向、寫作方法，多所指正，同好提供資料庋藏，斯篇乃成。此外，婆婆、外子多年之寬貸、支持及協助，乃爲本書撰成之最大動力，寸翰楮墨，實無以宣達衷心銘感於萬一。今雖稿成付梓，而自知疏漏難免，尚祈博雅諸君，不吝賜正。

中華民國八十二年二月　方　元　珍　謹識

王荊公散文研究目次

第一章 緒論

第一節 寫作動機

王安石少負絕異之資，於學無所不窺，治事立言以經世致用爲宗，乃十一世紀中國傑出之思想家、政治家、經學家、文學家。其盱衡時弊，施行新法，雖以黨同伐異，意氣用事，醜詆影吠者，累世不絕；惟良法美意，高瞻遠矚，徵諸今日，皆切合政治經濟原理。其潛心經術，發爲文章，則辭樸義實，簡潔勁健，不僅知名當世，且迭爲文家祖述，影響深遠，梁任公因有「完人」之譽。

今昔賢達，以王荊公爲主題之短篇專著，繁如恆河沙數；惟多於政經、歷史、詩歌諸端，抉發隱微，以釐清安石之歷史定位，或推許爲詩壇宗匠。而荊公文章之成就，雖眾口同聲，如蘇軾〈贈太傅〉云：

> 智足以達其道，辯足以行其言，瑰瑋之文，足以藻飾萬物。

茅坤〈王荊公文鈔引〉亦云：

> 湛深之識，幽渺之思，大較並本之古六藝之旨，而於其中別自爲調，鑱刻萬物，鼓鑄群情，以

成一家之言者也。

皆表彰其文匠心獨具，推尊爲八大之一；然其作品卻鮮有爲之爬羅剔抉，張皇幽眇者，即或有之，亦多單篇零簡，未能作系統之探討。今乃披文入情，觀瀾索源，期能闡發介甫散文之幽光，進而得其津梁，以爲日後彰顯諸家精蘊之張本。又荊公治經，黃山谷曰：「荊公六藝學，妙處端不朽」（註一）；其詩作，則自闢戶牖，開有宋一代風氣；惜以牽連過廣，本文未能一併覃研。倘能因撰是篇，闚其門徑，則探驪取珠之日亦可期矣。

此外，荊公之沒，距今已有九百餘年，歷來有關其新法及私德之記載，如陸九淵〈荊國王文公祠堂記〉云「英特邁往，不屑於流俗聲色利達之習，介然無毫毛得以入於其心，潔白之操，寒於冰霜」，袁枚〈書王荊公文集後〉曰「是乃商賈角富之見，心術先乖，其作用安得不悖」，王夫之《宋論》言「允爲小人，無可辭也」，大抵皆毀多於譽，甚謂宋之亡由安石。然而所謂「讀其文，則其人可知」，苟能就其作品加以考索，則荊公之襟懷器識，新政之立意做法，及歷史之功過，必如撥雲見日，可得眞相也。

第二節　寫作範疇與命名

本論文係以據明嘉靖卅九年（一五六〇）何遷撫州刊本繙印之《臨川先生文集》，與羅振玉所輯

〈拾遺〉一卷爲底本（註二），並以原書編次，多有未合（註三），而將荆公散文重加編次，分爲奏議、書牘、序跋、論說、傳狀、碑誌、雜記七體，以爲本文之範疇（註四）；其他如詩作、四六文，則引爲立論之輔證。

至於安石既以「古文」名家，而本論文所以取「王荆公散文研究」爲題者，其理由有四：

一、「古文」涵義紛雜

所謂「古文」者，據張心澂〈古文解〉考訂（註五），以爲至少有以下四種意義，一作古文字解，指目前通行文字以前之文字，如甲骨、鐘鼎、大篆、小篆等，均稱爲「古文」；二作古代典籍解，如孔安國有《古文尚書》，爲典籍上之「古文」；三作學派解，如西漢有今文經學家、古文經學家之分；四作散體文解，視「古文」爲文體之名。其名義紛歧若是，僅云「古文」，則易與名同實異者混淆。

二、文無古今之分

「古文」之名，始於韓愈，曾國藩於〈復許仙屏書〉云：

古文者，韓退之氏厭棄魏晉六朝駢儷之文，而反之於六經兩漢，從而名焉者也。

按韓公懼文之不古，欲返三代兩漢之作，而古文始名。是古文者，乃別於魏晉六朝以來盛行之駢偶文而言。此與秦漢時之今文，與秦漢以前之古文，相激相盪之情形相彷彿。至若宋代歐陽修以古文倡率學者，於〈蘇氏文集序〉云：

子美之齒少於予，而予學古文，反在其後。天聖之間，予舉進士於有司，見時學者，務以言語聲偶擿裂，號爲時文，以相誇尚。……其後天子患時文之弊，下詔書諷勉學者以近古，由是其風漸息，而學者稍趨於古焉。

是知宋代古文運動之興起，實爲不滿號爲「時文」之西崑四六而發。則唐宋「古文」之名，皆以別於當時習用之「今文」而言。然文章本無今古之分，除以今與古之界限不能嚴格區劃，極易混淆以外，姚惜抱〈古文辭類纂．序目〉云：

夫文無所謂古今也，惟其當而已。得其當，則六經至於今日，其爲道也一；知其所以當，則於古雖遠，而於今取法，如衣食之不可釋，不知其所以當，而敝棄於時，則存一家之言，以資來者，容有俟焉。

蓋爲文之要，在於辭妥義愜，不在今古之分，若能抒情佈意，激起共鳴，則古文、今文皆千古至文也，又何必强爲區劃？

三、散文包括古文

就文辭形式而言，「古文」反對駢偶靡麗之文，改以散體行文；而散文之定義，據王師更生云：

廣義說：凡不押韻、不重排偶，散體單行的文章，包括經、史、子與集部中的部分作品，概稱廣義的散文。（註六）

其於文辭形式上之表現，與古文並無二致。王師更生並於〈論中國散文藝術特徵〉一文，指出散文形象性、眞實性、散體性、多樣性、音樂性、整體性等六大特質（註七），均遠出於當時所謂「古文」之義涵，而具體表現於八子文章之中。就思想內容上言，古文以明道爲基本精神，退之〈題歐陽生哀辭後〉云：

愈之爲古文，豈獨取其句讀，不類於今者耶？思古人而不得見，學古道，則欲兼通其辭，通其辭者，本志乎古道者也。

可見退之學古文，在學古人之道而兼通其辭。「道」之內涵，據〈原道〉篇云：

其爲道易明，而其爲教易行也。是故以之爲己，則順而祥；以之爲人，則愛而公；以之爲心，則和而平；以之爲天下國家，無所處而不當。

則文以「明道」、「貫道」者，乃指文章必須蘊有修己治人、治國平天下之理，具備禮治政教等實用功能。反觀散文之思想內涵，據方祖燊、邱燮友合著之《散文結構・散文的新界說》云：

散文從寫法上，又可分爲二種：一種是文章性的散文，一種是文學性（即文藝性）的散文。它們的作法各有所偏。文章性的散文，必須做到「言之有物」、「載有道理」，有實用的價值；文學性的散文，必須求臻於「有欣賞價值，能使人產生美感的最高境界」。

文中所謂「文章性散文」，實爲古文一貫之內涵，而所謂「文學性散文」，則爲古文家不刻意强調，而具體實踐於作品中者；惟二者相形之下，「古文」之義涵，較傾向於前者，是知「散文」之名義，實較「古文」更能切合安石作品在形式與內容上之特質。

四、「散文」一詞至今沿用

「散文」之名，首見於南宋王應麟《詞學指南》引呂東萊說，「誥體」條下云：「詔書或用散文，或用四六，皆得」。至南宋羅大經著《鶴林玉露》，「散文」一詞，大量使用。如卷二「楊東山嘗謂余曰」條下云：

> 文章各有體，歐陽公所以爲一代文章冠冕者，固以其溫純雅正，藹然爲仁人之言，粹然爲治世之音，然亦以其事事合體故也。如作詩便幾及李杜，作碑銘記序便不減韓退之，作五代史記便與司馬子長並駕，作四六便一洗崑體，圓活有理致，作《詩本義》，便能發明毛鄭之所未到，作奏議便庶幾陸宣公，雖游戲作小詞，亦無愧唐人《花間集》，蓋得文章之全者也。……山谷詩騷妙天下，而散文頗覺瑣碎局促。

羅氏以「散文」與「詩」、「四六」對舉，顯然有以「散文」取代「古文」，與「韻文」、「四六」並峙，成爲中國文學作品三大體類之意。迨乎清代，或簡稱爲「散文」，如方以智〈文章薪火〉「呂覽淮南」條云：「子長以鬱折而成《史記》，收合百家，洽古宜時，散近乎樸，變藏於平」，羅惇曧

〈文學源流〉亦云：「文之既立，何殊散駢？西漢以前渾樸敦雅，駢不慮雜，散不病野」；或稱爲「散體文」、「散體」，如方苞〈答程夔州書〉云：「散體文惟記難撰」，劉大櫆〈論文偶記〉云：「昔人謂經對經，子對子者，皆詩賦偶麗八比之時文耳，若散體古文則六經陳言也」，多以「駢」、「散」對舉，以「散文」取代「古文」之名。故陳柱《中國散文史・駢散未分時代之散文》云：

蓋散文亦不過古文之別名耳；而現代所用散文之名，則大抵與韻文對立，其領域則凡有韻之詩賦詞曲，與有聲律之駢文，皆不得入內。

則「散文」、「韻文」、「駢文」鼎足而立，已成爲今日學術界習見之用法，本書因題名爲「王荊公散文研究」也。

【附註】

註　一　見《豫章黃先生文集・奉和文潛贈無咎篇末多見及，以既見君子云胡不喜爲韻》卷二。

註　二　參見本論文第四章《王荊公之著作考述》。

註　三　見沈卓然〈重編王安石全集・例言〉。

註　四　參見本論文第七章〈王荊公之散文體類與風格〉。

註　五　見民國廿六年《文學年報》第三期。

註　六　見王師更生〈簡論我國散文的立體、命名與定義〉，載於《孔孟月刊》第廿五卷第十一期。

註七 見《教學與研究》第九期，師大文學院出版。

第二章　王荊公之生平事略

荊公少懷澄清天下之志，中年行富國强兵之策；而以道不行，退居山林。是以綜其一生，可分三期：一爲執政以前之蘊蓄時期，二爲位居宰輔之變法時期，三爲罷政以後之退隱時期。以下就此三節，探究荊公各階段經歷及心路歷程之轉變，以見於其立身行事，論政爲文之影響。

第一節　蘊蓄時期

王安石少字介卿，後易介甫（註一），晚號半山，撫州臨川（今江西省臨川縣）人。其生年有二說：一從《宋史·王安石本傳》云：「元祐元年卒，年六十八」上推，應生於宋眞宗天禧三年己未（一〇一九）。清顧棟高撰《王安石年譜》亦主是說。（註二）二爲清蔡上翔《王荊公年譜考略》據荊公〈酬冲卿見別詩〉：「同官同齒復同科」，及〈祭吳侍中冲卿文〉：「公命在酉，長我一時」，以爲安石生於天禧五年辛酉（一〇二一）之證。其實去荊公未遠之宋人如詹大和撰〈王荊文公年譜〉

、晁公武《郡齋讀書志》、吳曾《能改齋漫錄》、王稱《東都事略‧安石本傳》、杜大珪《名臣碑傳琬琰集‧王荊公安石傳》，均以安石生於天禧五年辛酉，卒於元祐元年，享年六十六。後此王明清《揮麈前錄》亦謂「國朝名公多厄於六十六，……王荊公……亦然。」且不獨後人言之，同時如蘇轍《潁濱集》謂荊公與馮京同生於辛酉，而李燾《續資治通鑑長編》載荊公移書呂惠卿曰：「毋使齊年知」，即指馮京，是又不獨他人言之，荊公已自言矣。按《宋史》記事之失檢，不能殫數，《四庫全書總目提要》、柯維琪《宋史新編》、趙翼《陔餘叢考》、《廿二史劄記》等已有明言，顧氏亦深憾「《宋史》譔公本傳，前後多疏漏」；而所引〈別鄞女詩〉：「行年三十已衰翁」，或安石概舉成數而言。故荊公生平應以蔡考爲是。（註三）

安石先祖出於太原。曾祖諱明，以子觀之貴，贈尚書職方員外郎。祖諱用之，爲衞尉寺丞，祖妣謝氏，封永安縣君。父諱益，字損之，後改字舜良，乃祥符八年進士（註四）。其治公「嘗欲大潤澤於天下，一物枯槁，以爲身羞」（註五），故迭任官職，皆政有譽聲。家居自奉甚儉，治酒食悉以娛親，且爲子弟陳孝悌仁義之本，古今存亡治亂之所以然（註六），故以善孝友、嚴家教，稱聞鄉里。母吳氏則好學強記，老而不倦，取舍是非，有人所不能及者（註七）。安石兄弟七人，公以上有安仁、安道，俱爲前母徐氏所生，下有安國、安世、安禮、安上，母吳氏。其中安仁、安石、安國、安禮及安石子王雱，俱爲進士，足見一門書香，家學深厚。且安石嘗從父宦韶州、入京師、判江寧府，至於卒官，目睹社會百態，民生疾苦；以及家風之勤儉，篤於孝友，痌瘝民瘼，對安石之脩身潔行，論學立志，有莫大影響。

介甫生有異質，幼讀書過目成誦。其博覽群籍，「自百家諸子之學，至於〈難經〉、〈素問〉、〈本草〉諸小說，無所不讀」，且關心民事，雖「農夫女工無所不問」（註八）。問學本原於經術，而知經術之目的在經綸世務。觀安石於廿三歲時所寫〈憶昨詩示諸外弟〉云：

> 端居感慨忽自寤，青天閃爍無停暉。男兒少壯不樹立，挾此窮老將安歸？……材疏命賤不自揣，欲與稷契遐相希。

可知其於青少年時期已蘊蓄經略天下，志希稷契之胸懷。〈雨過偶書〉又云：

> 誰似浮雲知進退，纔成霖雨便歸山。

則安石獨以造福生民爲己任，而不以名利爲意。故顧棟高輯〈王安石遺事〉云：「荊公性簡率，不事修飾奉養，衣服垢污，飲食麤惡，一無所擇，自少已然。」則介甫以性不好華腴（註九），自甘澹泊之爲人，可見一斑。

宋仁宗康定元年（一〇四〇），安石二十歲，寄居金陵。次年入京應禮部試，而於慶曆二年（一〇四二），登楊寘榜進士第四名，旋簽書淮南判官。廿四歲，安石自揚州還臨川，子雱生，外祖母黃夫人卒，作墓表。舊制秩滿後，許獻文求試館職，安石獨否，解淮南官。於慶曆六年（一〇四六），至京師。其時，公之交游甚少，凡所與游者，皆脩身廉潔，文章知名之士，或箴規補過，或揄揚薦舉，影響安石至鉅。如曾鞏，長安石兩歲，二人以有姻戚關係，交誼本已篤好。慶曆三年（一〇四三）

，子固嘗作〈懷友〉詩寄公，公乃作〈同學一首〉別之，推崇子固爲師法聖人，言行相符之賢士；子固亦曾於慶曆四年（一〇四四）〈上歐陽舍人書〉，稱美「王安石文甚古，行甚稱文，雖已得科名，居今知安石者尙少也。」迨至和年間，歐陽脩推薦安石爲諫官，即肇因於此。荊公又有〈答段縫書〉，謂子固之文學議論，在其交游中不見匹敵；且勇於適道，不可以刑禍利祿使之動搖，則荊公傾慕曾鞏之情，溢於言表。至如李通叔者，安石於寄居金陵，入學爲諸生時，始識之。望其容則「色睟然類君子」，與之言則「皆君子之言」，雖僅數年，通叔即因乘舟溺死，然據荊公云：「自予之得通叔，然後知聖人戶庭可策而入也」（註一〇），則通叔亦介甫敦品勵學，不可多得之良友也。又有孫正之，名侔，字少述，文甚奇古，爲人孤峻，非其所善，雖比鄰不與通也。慶曆、皇祐中與介甫、子固交游，名聞江淮。安石於〈送孫正之序〉中，盛讚孫侔能行古道，又善爲古文。公少以兄事侔，後公爲相，過侔，侔待之如布衣，而公有〈寄正之詩〉云：

　　此憂難與世共知，憶子論心更惆悵。

可見二人相知篤厚，不因貴賤有所損益。再如王逢原，名令，天才橫溢，安石識之於途經高郵時。介甫曾爲逢原婚事，多次修書其舅吳蕡，盛讚逢原「文學才智行義，皆高過人」，「守節安貧」，「誠是豪傑之士」，又屢寄書逢原，亟盼示教，以規過勸善。故當王令英年早逝，安石悲慟不已，有〈思王逢原〉詩云：

　　自吾失逢原，觸事輒愁思，豈獨爲故人，撫心良自悲。我善孰相我，孰知我瑕疵；我思誰能謀，我語聽者誰？痛失畏友，不勝欷歔！至如王回，字深父，學行純固，議論深明，對安石立身行事，亦有規箴切劘之補（註一一），是以治平二年，王回卒，安石祭文云：

> 嗚呼天乎！既喪吾母，又奪吾友，雖不即死，吾何能久？

哀慟逾恆之情，不能自已。另如常秩，字夷甫，長介甫二年，輒與之深交講學。公爲相變法，獨以爲是。秩初隱不仕，新法後，三召始起，蓋欲行其道也。秩長於春秋，歐陽修表揚之，尤是知名。秩卒，荆公爲作墓表，稱誦夷甫：

> 違俗而適己，獨行而特起。

至於反對西崑，文倡平易之梅堯臣，亦與荆公時有唱和（註一二），聖俞有〈送介甫知毗陵詩〉勉安石勤政愛民，留甘棠之思，迨聖俞卒，安石有〈哭梅聖俞〉詩，悼念極爲沈痛。是知此輩文德兼具之士，對安石之守道安貧，砥礪廉隅，及致力於詩文之革新，皆有切磋砥礪之影響。

慶曆七年（一〇四七），安石年廿七歲，調知鄞縣（今浙江省奉化縣東）。爲深入瞭解民情，周遊縣屬十有四鄉，使民開浚渠川（註一三）。並上書杜學士，言開河以興水利。又〈上運使孫司諫書〉論議孫運使下令吏民出錢，購人捕私鹽之害。治鄞三年，起堤堰，決陂塘，爲水陸之利，貸穀於民，立息以償，俾新陳相易，興學校，嚴保伍，邑人便之。以仁心而行仁政，嘉惠鄞民之治績，實爲異日執政之重要張本；而其遺澤，迄今鄞民思而祀之。

皇祐元年（一〇四九），荊公鄞縣任滿還京。翌年春，送契丹使出塞。皇祐三年（一〇五一），通判舒州（今安徽廬江縣）。有〈發廩〉、〈感事〉、〈兼幷〉、〈寓言〉等詩，痛陳富豪聚斂，民不聊生之慘況。此時，荊公文學政事已著聞於世（註一四）。先有文彥博爲相，薦安石恬退，乞不次進用，以激奔競之風。尋詔試館職，不就。又如陳襄撰〈薦士書〉，安石亦與焉。至和元年（一〇五四），則有歐陽修薦公爲諫官，譽其「德行文學，爲眾所推，守道安貧，剛而不屈，久更吏事，兼有時才」；雖安石不就，仍復言於朝，爲群牧判官。嘉祐元年（一〇五六），歐陽修又有〈贈介甫詩〉所謂：「翰林風月三千首，吏部文章二百年，老去自憐心尚在，後來誰與子爭先？」對安石詩文讚歎不已。嘉祐五年（一〇六〇），富弼爲相，又薦安石。足見安石學問文章，頗見知於宰輔賢達。

嘉祐二年（一〇五七），安石年卅七，知常州（今江蘇南部），有〈與劉原父書〉，言及開鬬河川，未能竟功，且備受議論。嘉祐四年（一〇五九），介甫提點江東刑獄，反對茶葉專賣，以爲使民經營，可杜癰患；江南東路因而一度取消茶葉專賣，改由茶商運銷。嘉祐五年（一〇六〇），安石四十歲，因忧於當時累卵之勢，撰〈上仁宗皇帝言事書〉（註一五），剴切指陳「立法度」、「陶冶人才」、「學貴致用」等爲政之大端，惜未獲識用。之後，因富弼薦舉，安石任度支判官，所著〈度支副使廳壁題名記〉，主守法理財，〈相度牧馬所舉薛向劄子〉則爲日後均輸等法之所由起。翌年，朝命差同修起居注，安石堅辭，六月除知制誥。嘉祐八年（一〇六三），仁宗崩逝，英宗即位，安石丁母憂，解官歸江寧（今南京市），自是終英宗世，召不赴。

觀安石自致用迄乎嘉祐八年召赴闕，迭有破格進用，身居清要之機會，然以家計私急屢辭（註一六）。由於安石天資孝友，稟性恬退，不以官職爲意，故南宋吳澄謂「其行卓，其志堅，超越富貴之外，無一毫利欲之汩。」（註一七）而發於文辭，氣格自高，不同流俗。

第二節 變法時期

神宗於英宗治平四年（一〇六七）即位後，鑑於對內財用不足，農民生活疾苦，對外國力衰弱，外患頻仍，而求治心切。輒下詔求直言、察民隱、表彰績效卓著之地方官、裁減國用、整頓庫存，以及改革館試法，然執政大臣鮮能明其心意。據王夫之《宋論》云：「神宗有不能暢言之隱，當國大臣無能達其意而善謀之者，於是王安石乘之以進。帝初蒞政，謂文彥博曰：『養兵備邊，府庫不可不豐。』此非王安石導之也，其志定久矣。」而亟思求賢以助之際，適逢曾公亮薦，於熙寧元年（一〇六八），除安石爲翰林學士，又詔安石越次入對，籌畫新法。神宗嚮往貞觀之治，安石則以爲當師法堯舜之道，以其至簡不煩，至要不迂，至易不難（註一八）。且上〈本朝百年無事劄子〉，謂帝曰：「大有爲之時，正在今日」，於是次年，神宗以安石爲參知政事，其變風俗、立法度之說，正合聖意，乃創制置三司條例司，陳升之、王安石同領其事，呂惠卿、章惇、曾布、程頤、蘇轍等並爲屬官，共議行新法。熙寧三年（一〇七〇），以韓絳、王安石並同中書門下平章事，保甲、募役諸法，次第施行。據《宋史・陳亮本傳》云：「其實則欲藉天下之兵，盡歸於朝廷，別行教閱以為彊也；括郡縣之利盡入於朝廷，別行封樁以為富也。」是知抑制豪吏之聚斂兼併，平均財貨，厚殖國力，以至於國富兵強，乃熙寧變法之主旨。

熙寧新法，約而言之，可分三類。在民政及財經方面：如均輸、青苗、市易、免役、方田均稅等法，注重經濟，所以裁抑兼併，建立民康物阜，國用富足之社會。在軍政方面：如省兵、置將、保甲、保馬、置軍器監等法，則寓兵於農，精良戰備，退可安邊自守，進可征伐開拓。在教育及貢舉方面，如興學校、更改貢舉法等，則普及教育，專意經義，以儲才備用，變化風俗。其中諸法多援《周官》、三代古制而非立異（註一九），且多廣徵意見，試行諸路後始推行全國，故安石嘗云：

天下可行之事至眾，但議論未合，即無強行之理；及至朝廷已推行，則非復是臣私議，乃朝廷詔令也。（註二〇）

可見安石變法有其自成體系之理論基礎與步驟。是以朱子〈讀兩陳諫議遺墨〉曾云：「則是安石之變法，固不可謂非其時，而其設心，亦未為失其正也。」梁啟超《王荊公》亦謂「其施政之本意，在於謀國利民，殆可謂之良也已。」

立法之初，安石嘗謂神宗曰：

陛下誠欲用臣，恐不宜遽，謂宜先講學，使於臣所學本末不疑，然後用，庶幾能粗有成。（註二一）

又曰：

然今欲理財，則須使能。天下但見朝廷以使能爲先，而不以任賢爲急；但見朝廷以理財爲務，而於禮義教化之際有所未及；恐風俗壞，不勝其弊，陛下當先驗國體，有先後緩急。（註二三）

可見介甫未嘗不知施行新法宜有輕重次序，然以宋之積弱，「過今日，則臣恐亦有無所及之悔」（註二三），神宗、安石不得不出以急切，即位五年，而更張改造者數千百事（註二四），由是下僚承風，競以掊克爲能，推行往往失其本旨。故新法既行，舉朝洶洶，先有御史中丞呂誨於熙寧二年（一〇六九）疏論安石過失十事，指安石「外示樸野，中藏巧詐，驕蹇慢上，陰賊害物」，安石因乞辭位，神宗封還其奏，並云：「朕與卿相知，如高宗用傅說」，令視事如故，呂誨則以論公罷知鄧州（今河南鄧縣）。俟青苗法行，受當世反對派抨擊最烈，如司馬光、呂誨、韓琦、范鎮、傅堯俞、富弼、歐陽修、呂公著、蘇轍、蘇軾、劉攽、孫覺、李常、程顥、陳襄等均亟言青苗不便。其中如蘇轍嘗言官自借貸之便，而乃力詆青苗之非，後卒因此自乞罷。又如與荊公曾爲「嘉祐四友」之一之司馬光（註二五），亦致書安石，乞罷遣散青苗使者及諸路提舉官，以息人言，介甫有〈答司馬諫議書〉，駁斥溫公指爲侵官、生事、征利、拒諫之說，並自明施行新法，乃「度義而後動」，雖眾議紛呶，「不見可悔」。又如呂公著雖爲荊公所引，亦請罷新法。按諸賢之議介甫，其最要者，爲變更祖宗法度，見其以財利爲先，則又目之爲與民征利，故荊公引《孟子》、《周禮》以爲立法理財之據，並說明青苗取息二分在補貼「官吏之俸，輦運之費，水旱之逋，鼠雀之耗」，自認「所論無一字不合於法，而世之嘵嘵者，不足言也」（註二六）。至如免役法，司馬溫公在英宗時，嘗言衙前當募民爲之，而乃力詆雇役之非。蓋其時朝廷每更一事，則群力沮撓，以不與並立於朝而自鳴淸高，且當時言者，置天下大計不顧，而諰諰於義利之間，實無一語能批其窾要，故荆公以一身當天下之謗，卒不爲所動；然因更張法制，一時並出；僚屬希功心切，執法偏差；加以變法末期，反對新法者，自成黨與，演爲意氣之爭，導致司馬光執政後，不問利弊，不從勸說，悉罷新法，朋黨傾軋愈烈，終於種下靖康之難之禍根。

安石新法，除均輸法外，大都行之有年，熙寧九年（一〇七六），安石罷判江寧府後，終神宗之世，新法仍繼續實施。對內則冗費銳減，賦收大增，繇役均平，民生日裕，《宋史・安燾本傳》嘗云：「熙寧元豐之間，中外府庫，無不充衍，小邑所積錢米，亦不減二十萬。」荆公《文集》，亦有〈歌元豐〉五首，其五云：

豚柵雞塒晻靄間，暮林搖落獻南山。豐年處處人家好，隨意飄然得往還。

足見熙豐年間物阜年豐，百姓富足。以視英宗之世，農民不敢「多種一桑，多置一牛，蓄二年之糧，藏十匹之帛」（註二七）；或較元祐時期，「大抵一歲天下所收錢穀金銀幣帛等物，未足以支一歲之出」（註二八），誠可謂霄壤之別。對外則有王韶收復河湟，闢地熙河洮泯疊宕等州，幅員二千多里，招撫大小番族三十餘萬；章惇察訪湖北路，經制蠻事，三年而功訖；熊本安撫四川一路，使夔梓州縣，與我同其文明；而郭逵、趙卨等人前往招討安南，亦獲勝投降，交阯進貢不絕。雖熙寧八年（一〇七五）與遼交涉，東西棄地五百里（註二九）；然據近人李之勤撰〈熙寧年間宋遼河東邊界交涉研究〉一文，以為「失地責任，不應由王安石來負。」（註三〇）是以顏元〈宋史評〉亦謂「（荊）公之施為，亦彰彰有效矣」。

自荊公推行新政以來，初不以人言為意，然當群疑並興，眾怨紛至，介甫亦不免心力交瘁，深歎世路難行，壯志不成（註三一）。熙寧五年，安石上〈乞解機務劄子〉六首，而神宗對曰：「朕與卿相知，近世以來所未有，所以為君臣者，形而已，形故不足累卿。然君臣之義，固重於朋友，若朋友與卿要約，勤勤如此，卿亦宜為之少屈；朕既於卿為君臣，安得不為朕少屈？」期勉介甫忍辱負重。迨乎熙寧七年（一〇七四），旱暵為虐，四海之內，被災者廣，鄭俠因上流民圖，亟言新法之害，安石由是處境益難，以為流俗險膚，未有已時，安能久自困苦於此（註三二）？因乞去位。神宗遣呂惠卿以手詔諭安石，欲處以師傅之官，留京師，而安石堅辭。神宗乃以安石除知江寧府，依舊提舉經局，並任韓絳同平章事、呂惠卿為參知政事。是年八月，神宗遣中使傳宣撫問安石，並賜湯藥，及撫慰安國弟亡。熙寧八年（一〇七五），公年五十五，復起視事。六月，上《三經新義》並〈序〉，詔頒於學官。神宗加安石為尚書左僕射，兼門下侍郎，昭文館大學士，子雱為龍圖閣直學士。同年，呂惠卿以曾於得志時，忌安石復用，凡可以下石者無不為，而被罷知陳州。次年，王雱病革，上詔特給安石假，在家撫視；未幾，雱卒，年甫卅三。傷慟之餘，安石累疏乞退，並致書同僚王珪乞請曲為開陳，神宗亦知荆公高蹈之志，乃命以使相判江寧府。足見神宗與安石知信之篤、恩誼之渥。

第三節 退隱時期

熙寧十年（一〇七七），安石年五十七，還江寧。神宗眷顧恩遇如昔，差李友詢扶護王雱棺柩，並賜安石湯藥。又差安石之弟安上提點江南東路刑獄，就便照管，且傳旨令受敕命，不須辭免。元豐元年（一〇七八），特授安石開府儀同三司，尙書左僕射，封舒國公。未久，以其陳情甚切，命換集禧爲會靈觀使，罷節鉞，止食祠祿，居鍾山南。三年（一〇八〇），葬弟平甫於江寧府鍾山，誌其墓，並修改經義，撰〈乞改三經義誤字劄子〉、〈論改詩義劄子〉、〈答手詔言改經義事劄子〉等，神宗乃加安石爲特進尙書左僕射，兼門下侍郎，改封荆國公。安石雖罷政，居江寧，而神宗存問稠疊；終其世，行公政策不變。

元豐四年（一〇八一），呂吉甫來書云：「內省涼薄，尙無細故之嫌；仰揆高明，夫何舊惡之念？」（註三三），公有〈答呂吉甫書〉云：「與公同心，以至異意，皆緣國事，豈有它哉？同朝紛紛，公獨助我，則我何憾於公？人或言公，吾無預焉，則公亦何尤於我？」毫不以惠卿甫得志時，即陷安石於不義爲忤，則荆公溫厚和平之德量可見。次年，荆公進《字說》，弟安禮以翰林學士爲尙書右丞。元豐七年（一〇八四），公有疾，乞以所居園屋爲僧寺，並請賜額，詔許賜額報寧，即今半山寺

（註三四）。安石嗣又將田劄入蔣山太平興國寺，得請後，有謝表。是年，蘇子瞻由黃州奉旨授汝州團練副使，道過金陵，謁安石於蔣山，流連累日，唱和甚多，闊別後，並有魚雁往返，或訴傾慕之語、眷戀之情（註三五），或悔當初反對新法，所言差謬，少有中理（註三六），均眞情流露，感人肺腑。元豐八年（一〇八五），神宗崩，安石有〈挽辭〉二首。哲宗即位，詔授安石司空。元祐元年（一〇八六）閏二月，司馬光爲尙書左僕射兼門下侍郎，新法逐一被罷，荆公猶夷然不以爲意；及聞罷免役，復差役，不免愕然失聲曰：「亦罷至此乎？」以爲此法與先帝議之兩年乃行，無不曲盡，「終不可罷」（註三七）。是年四月，安石薨，享年六十六。時君實在病中，聞公薨，撰〈與呂晦叔第二簡〉云：「介甫文章節義，過人處甚多；但性不曉事而喜遂非，……不幸介甫謝世，反覆之徒，必詆毀百端，光意以謂朝廷特宜優加厚禮，以振起浮薄之風。」上聞之，詔贈太傅，由蘇軾撰〈贈太傅敕〉，盛讚荆公爲儒者之光。足見荆公雖以推行新政，群議沸騰，樹敵甚眾；然君子之德，闇然日章，其學行文章，雖昔時政見相左者，仍予正面之評價。紹聖年間，追諡安石爲文公，配享神宗廟庭。徽宗崇寧三年（一一〇四），又配食孔子廟庭，列於顏孟之次。政和三年（一一一三），並追封爲舒王。

安石退居江寧十年，平素自奉淡泊，居家廉儉，一如少時。《續建康志》嘗載錄此時期之生活曰：

荆公再罷政，以使相判金陵，築第於白下門外，去城七里，去蔣山亦七里。平日乘一驢，從數僮遊諸寺。欲入城，則乘小舫，泛湖溝以行，蓋未嘗乘馬與肩輿。所居之地，四無人家，其宅僅蔽風雨，又不設垣牆，望之若逆旅之舍，有勸築垣，則不答。元豐之末，公被疾，奏舍此宅爲寺，賜名報寧。既而疾愈，稅城中屋以居，不復造宅。

安石日輒騎驢泛遊於山林皐壤間，隨性所至，倦則叩寺而臥，故心境亦轉趨悠然自適。如〈南浦〉詩云：

南浦隨花去，迴舟路已迷，暗香無覓處，日落畫橋西。

〈北山〉詩亦云：

北山輸綠漲橫陂，直塹回塘灩灩時。細數落花因坐久，緩尋芳草得歸遲。

皆寫盡此期安石舒閒容與之態。《石林詩話》謂：「王荆公少以意氣自許，故詩語惟其所向，不復更爲含蓄……晚年始盡深婉不迫之趣。」韓止仲《澗泉日記》亦言「介甫之罷相歸半山也，筆力極高古矣」（註三八），則退隱生活，確曾影響荆公作品之風貌。

荆公居江寧蔣山時，好觀佛書，每以故金漆版書藏經名，遣人就寺取書（註三九）；或過訪禪僧，與佛門大德從往甚密。其實，公於早歲，即因家族信仰與佛結緣（註四〇），既吏淮南，則與名僧慧禮交游，嘗撰〈揚州龍興講院記〉，稱誦浮屠慧禮無私心私欲，復興龍興佛舍。知鄞縣時，過往釋氏可以瑞新禪師與大覺懷璉禪師爲代表，謂其二人「皆今之爲佛而超然，吾所謂賢而與之遊者也」（註四一）。其他則遊寺、贈詩之作亦頗多。仁宗嘉祐八年（一〇六三），安石四十三歲，以丁母憂解官歸江寧，讀經於山中（註四二），凡《楞嚴經》、《圓覺經》、《華嚴經》、《維摩經》、《法華經》、《四十二章經》等，靡不究讀。神宗熙寧年間，且上書神宗，說明佛書符合儒教經典，科試中用佛典佛語並無問題（註四三）。迄乎安石罷相，返江寧，涉足佛寺，與佛門僧徒交往愈密。如〈廬山文殊像現瑞記〉、〈祭北山元長老文〉、〈擬寒山拾得〉二十首，均作於此時。則安石佛學造詣湛深，進而使其詩文受到浸染，可見一斑。

荆公稟性儉樸，無一毫聲色貨利之欲，志行堅卓，以矯世變俗爲己任，不憂讒畏譏，不曲學阿世，當時如溫公贊其「節義過人」，子瞻譽其「進退之際，雍然可觀」，後世如南宋陸象山則稱頌「公以蓋世之英，絕俗之操，山川炳靈，殆不世有」（註四四），均給予荆公極高之評價。其所設施之事功，據民國梁啓超著《王荆公》以爲「其良法美意，往往傳諸今日莫之能廢，其見廢者，又大率皆有合於政治之原理，至今東西諸國行之而有效者也。」其文章則蚤負盛名，粹然成一家之言。古文初學孟韓，筆力峭潔簡勁，名列八家之一。詩宗杜韓，少作意氣風發，好說理議論，晚年始言隨意遣，渾然天成（註四五），並下開江西詩派之先河。詞雖不能名家，亦有詞作如〈桂枝香〉、〈漁家傲〉等流傳，脫盡花間氣息。同時，安石潛心經術，務求聖人之道，並旁通釋老百家之書，著作宏富。其學術思想，北宋時稱爲「新學」，具有承先啓後之影響力。則蘇軾謂荆公爲「希世之異人」（註四六），亦非過當之論也。

結語

安石天資聰穎，家學淵懿，父兄師友之敎誨提攜，砥礪廉隅，與古文家之唱和往還，及隨父宦遊，迭任地方官職之經歷，使其於早年即樹立守道安貧之志，博學能文之基礎，並蘊蓄治國濟民之宏願，致力詩文革新之機緣。觀其此時所作，頗能見其英氣勃發，高視萬物之氣概。迄乎神宗知遇，位居宰輔，從事政經改革，荆公卓爾不群，質樸堅毅之個性，論議政事之理想與方案，均充分流露於作品中。及至退居江寧，安石寄情漁樵，生活閒適，學術著作多於此時修正定稿，並雜揉釋道思想於其間，詩文日趨深婉高古也。

【附註】

註　一　安石少字介卿，後易介甫，見吳曾《能改齋漫錄》卷十四，「曾子固懷友寄荆公」條云：「王荆公初官揚州幕職，曾南豐尙未第，與公甚相好也。嘗作〈懷友〉一首寄公，公遂作〈同學一首〉別之。荆公集具有其文。……然〈懷友〉一首，《南豐集》竟逸去，豈少作刪之邪？其曰介卿者，荆公少字介卿，後易介甫。」

註　二　淸顧棟高撰《王安石年譜》引荆公自作〈鄞女墓志〉：「慶曆七年四月生，明年六月死」，及〈別鄞女詩〉：「行年三十已衰翁」爲據，謂鄞女卒於慶曆八年戊子，由己未至戊子，恰年三十，則荆公生於己未無疑。顧氏又有〈荊公畫像記〉，謂「乾隆己巳，同年彭樂君開府江右，余致書求公生年月日，逾年有書來，且致公小像。」並附彭君來札，謂「生卒遺像，大量搜訪，今始得之。」故棟高考定荊公生於己未九月二日，乃據《宋史．王安石本傳》、荊公本集及彭樂君所訪得者。

註　三　荊公有〈生日次韻南郭子詩〉云：「寒逼清枝故有梅，草堂先對白頭開，殘骸已若雞年夢，猶見騷人幾度來。」王珪《華陽集．賜參知政事王安石生日禮物詔》亦云：「適正仲冬，陽氣孳於物始，乃生碩輔，忠謨翼於政機。頒內閣之賜常，助高門之續祉。」則荊公生時當以吳曾《能改齋漫錄》卷十所云：「王介甫辛酉十一月十三日辰時生」爲是。

註　四　見《臨川先生文集．先大夫述》卷七十一。

註　五　見《臨川先生文集．答韶州張殿丞書》卷七十三。

註　六　見《臨川先生文集．先大夫述》卷七十一。

註　七　見曾鞏《元豐類藁．仁壽縣太君吳氏墓誌銘》卷四十五。

註　八　見《臨川先生文集．答曾子固書》卷七十三。

註　九　見《宋史．王安石本傳》卷三二七。

註一〇　見《臨川先生文集．李通叔哀辭》卷八十六。

註一一　見《臨川先生文集．與王深父書》卷七十二。

註一二　李壁《王荊文公詩箋注》卷七注〈虎圖〉詩云：「王介甫、歐陽永叔、梅聖俞與一時聞人，坐上分題賦〈虎圖〉，介甫先成，眾服其敏妙。永叔乃袖手。」卷十五有〈聖俞為狄梁公孫作詩要予同作〉、〈和聖俞農具詩〉十五首。

註一三　見《臨川先生文集・鄞縣經遊記》卷八十三。

註一四　據《東都事略・安石本傳》云：「安石蚤有盛名，博聞強記，為文動筆如飛，觀者服其精妙。」宋陳襄〈與兩浙安撫陳舍人薦士書〉亦云：「有舒州通判王安石者，才性賢明，篤於古學，文辭政事已著聞於時。」

註一五　《宋史・安石本傳》以為介甫於嘉祐三年，自常州移提點江東刑獄時，上仁宗皇帝〈言事書〉，《王荆公年譜考略》亦以為然。唯據荆公〈謝提刑啓〉云：「叨備一官，甫更三歲」，可見介甫常州任官，歷任三載，而於嘉祐四年任提點江東刑獄。翌年，乃還闕廷。〈言事書〉云：「臣愚不肖，蒙恩備使一路；今又蒙恩召還闕廷，有所任屬，而當以使事歸報陛下。」故從顧棟高《王安石年譜》以是書上於嘉祐五年，初還闕廷，未受度支之前。

註一六　安石以家計私急，屢辭徵召，見於慶曆七年〈上相府書〉云：「輒上書闕下，願殯先人之邱冢，自託於筦庫，以終犬馬之養焉。」皇祐三年詔安石赴闕，俟試別取旨，安石有〈乞免就試狀〉云：「伏念臣祖母年老，先臣未葬，弟妹當嫁，家貧口眾，難住京師。」他如至和元年〈辭集賢校理狀〉、嘉祐元年〈上執政書〉、〈上歐陽永叔書〉、二年〈上曾參政書〉、五年〈上富相公書〉等，措辭大率類此。

註一七　見南宋吳澄〈臨川王文公集序〉。

註一八　見清楊希閔《熙豐知遇錄》一卷。

註一九　見《臨川先生文集·上五事劄子》卷四十一。

註二〇　見《長編拾補》卷七熙寧三年二月甲申條。

註二一　見《長編拾補》卷四熙寧二年二月庚子條。

註二二　見《長編拾補》卷四熙寧二年三月戊子條。

註二三　見《臨川先生文集·上時政疏》卷卅九。

註二四　見《臨川先生文集·上五事劄子》卷四十一。

註二五　《宋人軼事彙編》卷十一引《却埽編》云：「王荊公、司馬溫公、呂申公、黃門韓公維，仁宗時同在從班，特相友善，暇日多會於僧坊，往往談讌終日，他人罕得預，時目為嘉祐四友。」

註二六　見《臨川先生文集·答曾公立書》卷七十三。

註二七　見《溫國文正公文集·衙前劄子》卷三十八。

註二八　《續資治通鑑·宋紀》卷八十一，元祐三年十二月甲辰條，韓忠彥、蘇轍、韓宗道言。

註二九　見《邵氏聞見前錄》卷四。

註三〇　見《山西大學學報》（哲社版）一九八〇年第一期。

註三一　荊公〈偶成〉詩云：「漸老偏諳世上情，已知吾事獨難行，脫身負米將求志，戮力求田豈為名？高論頗隨衰俗廢，壯懷難値故人傾。」見《臨川先生文集》卷廿。

註三二　見《臨川先生文集．與沈道原舍人書》卷七十五。

註三三　見宋魏泰《東軒筆錄》卷十四。

註三四　宋胡仔《苕溪漁隱叢話》後集卷二五引《六朝事迹》云：「半山報寧禪寺，荆公故宅也。其地名白塘，舊以地旱積水爲患，自荆公卜居，乃鑿渠決水，以通城河。元豐七年，公病愈，乃請以宅爲寺，因賜寺額。由城東門至蔣山，此半道也。故今亦名半山寺。」

註三五　蘇軾於蔣山與荆公唱和，有〈次荆公韻四絕〉，其一云：「騎驢渺渺入荒陂，想見先生未病時。勸我試求三畝宅，從公已覺十年遲。」及闊別後至儀眞，又有〈上荆公書〉：「近者經由，屢獲請見，存撫教誨，恩意甚厚。……某始欲買田金陵，庶幾得陪杖屨，老於鍾山之下，旣已不遂。」荆公亦歎息語人曰：「不知更幾百年，方有如此人物。」

註三六　子瞻於元豐年間，撰〈與滕達道書〉云：「吾濟新法之初，輒守偏見，至有異同之論。雖此心耿耿，歸於憂國，而所言差謬，少有中理者。今聖德日新，眾化大成，回視向之所執，益覺疎矣。」見《蘇東坡全集．續集》卷四。

註三七　見《續資治通鑑綱目》卷八。

註三八　上句見於《石林詩話》卷中，下句見於《古文辭通義》卷八引韓止仲《澗泉日記》所言。

註三九　宋陸游《老學庵筆記》卷三。

註四〇　日東一夫《王安石新法の研究》第三編第二章〈王安石の政治理念と信仰生活〉（東京・風間書房）。

註四一　見《臨川先生文集・漣水軍淳化院經藏記》卷八十三。

註四二　見《禪林僧寶傳》卷廿七：「舒王初丁太夫人憂，讀經山中，與元（贊元）游如昆弟。」

註四三　《長編》卷二三三熙寧五年五月甲午條云：「安石曰：『柔遠能邇，詩書皆有是言，別作言語不得，臣觀佛書乃與經合。蓋理如此則雖相去遠，其合猶符節也。』上曰：『佛西域人，言語即異，道理何緣異？』安石曰：『臣愚以爲，苟合於理，雖鬼神異趣，要無以易。』上曰：『誠如此。』」此乃當時科舉之試題中，出有王安石父子之字句，間用佛語，馮京欲加抑制而求之於神宗，安石乃與神宗相與問答。

註四四　見南宋陸象山〈荊國王文公祠堂記〉。

註四五　《石林詩話》卷上：「王荊公晚年……然意與言會，言隨意遣，渾然天成，殆不見有牽率排比處。」

註四六　蘇軾〈贈太傅制〉云，見《蘇東坡全集》外制集卷上。

第三章　王荊公所處之時代

荊公志希稷契，出則霖雨蒼生，入則潛心學藝，爲文經世致用，棄華務實，與當代之政教形勢、學術風氣、古文運動，有密不可分之關係。其作品固有卓犖不群，自成一格之特色，然受時代潮流之影響，亦清晰可辨。以下試分別論述之。

第一節　政教形勢

北宋立國百有餘年，其間動靜交替，治亂相乘，政教之發展，有如下四種情勢：

一、吏治敗壞，宰諫失和

自太祖輕易取得天下，爲防微杜漸，堵塞亂萌，遂行中央集權制。地方官吏由中央任命，「以文官往涖之。由是內外官多非本職，惟以差遣爲資歷」（註一）。爲嚴防專擅，乃乖迕迭出，員既冗濫，名尤紊雜。如《宋史・職官志》曰：

臺、省、寺、監，官無定員，無專職，悉皆出入分涖庶務。……至於僕射、尚書、丞、郎、員外，居其官不知其職者，十常八九。

吏治之敗壞，可以想見。且人人以內遷爲榮，五日京兆，無心民事。是以安石〈上仁宗皇帝言事書〉嘗云：

今以一路數千里之間，能推行朝廷之法令，知其所緩急，而一切能使民以修其職事者甚少，而不才苟簡貪鄙之人，至不可勝數。……朝廷每一令下，其意雖善，在位者猶不能推行，使膏澤加於民，而吏輒緣之爲姦，以擾百姓。

則官吏陽奉陰違，治事廢弛之情形，極爲普遍。

爲貫徹强本弱末，集中君權之國策，宋於宰輔權力亦多方分散。如設樞密院主兵，與中書並稱兩府，以分宰相預聞軍事之權；設戶部、鹽鐵、度支三司主財，以分宰相預聞財賦之權；又設審官院與三班院等，掌審京朝及其幕職州縣官考課，以分宰相命官考課之權。尤有甚者，宋朝一改諫議隸屬宰相，爲宰輔喉舌之唐制，獨立諫院，由天子親擢諫官，且許以風聞，不加譴責，遂使宰相咸懷事事掣肘，動輒得咎之慨，不敢暢行其志。相權之低落，前古所未見。如熙寧四年（一〇七一）二月蘇軾〈上神宗皇帝書〉曰：

自建隆以來，未嘗罪一言者，縱有薄責，旋即超昇，許以風聞，而無官長；風采所繫，不問尊

卑。言及乘輿，則天子改容；事關廊廟，則宰相待罪。故仁宗之世，議者譏宰相但奉行臺諫風旨而已。（註二）

頗能顯現當時諫垣氣盛，宰相權絀之實況。針對此一諫議制度之改變及影響，安石有〈諫官論〉評述曰：

唐太宗之時，所謂諫官者，與丞弼俱進於前，故一言之謬，一事之失，可救之於將然，不使其命已布於天下，然後從而爭之也。君不失其所以爲君，臣不失其所以爲臣，其亦庶乎其近古也。今也，上之所欲爲，丞弼所以言於上，皆不得而知也；及其命之已出，然後從而爭之。上聽之而改，則是士制命而君聽也；不聽而遂行，則是臣不得其言而君恥過也。臣不得其言，士制命而君聽，二者上下所以相悖而否亂之勢也。

其比較唐宋諫議制度之不同，並謂諫官與宰執意見相左，常因對壘而成政爭動亂之根源。前有慶曆政爭，范仲淹被目爲引用朋黨，罷知饒州；繼有濮議之爭，爲詔議追尊濮王典禮，廷臣分黨相鬨，洶洶若待大敵。此風既開，諫垣不合作，亦爲安石新政失敗之導因之一。元祐、紹盛時期，黨爭愈演愈烈，卒與宋相始終。

二、弱將殘兵，邊患不絕

宋代兵制重文輕武，主兵大員，必任文官，以精兵歸之中央，是爲禁軍，爲杜專恣，使將不專兵，兵不專將；禁軍之外則爲廂軍，駐各州縣任營繕工作，素質較差，國有外患，兵源不足時，則以囚犯、饑民、市井無賴、營伍子弟補充。此一弱將弱兵政策，荆公亦深知其弊，〈本朝百年無事劄子〉嘗論曰：

宋將非選擇之吏，轉徙之亟，既難於考績，而游談之眾，因得以亂眞。……兵士雜於疲老，而未嘗申敕訓練，又不爲之擇將，而久其疆埸之權，宿衛則聚卒伍無賴之人，而未有以變五代姑息羈縻之俗。

按宋之軍事，重對內而略荒遠，輪番更戍，尤生「將不知兵，兵不知將」之弊，使邊吏徒保守而短進取，每憚生事，例置不問，州縣單弱，亦無守備。當太宗之世，勁旅身經百戰，破滅北漢，本有意直擣幽燕，詎料高粱河一役，全師敗績，自是對遼作戰，盡失信心。加以宋朝建都開封，一旦牧馬南下，四境之地，無險可守，根基立即動搖。是以迄後對外戰爭，殆全無把握，由納幣締盟，備受屈辱，終至人主被擄，滅國隨之。

三、理財無方，庫存枯竭

各州財賦，依宋制亦歸中央，太祖於建隆二年（九六一）下詔，令各州每年租稅、專賣收入，除地方度支經費留除外，皆輸京師。太宗並派京官駐守各地監督收稅，於全國十五路各設轉運使，主管本路所屬各州郡之財政稅收與水路轉運。彼以爲如此則「朝廷以一紙下郡縣，如身使臂，如臂使指，無有留難，而天下之勢一矣」（註三），殊不知財賦之聚於中央，而中央尚以厚積鬧窮。

宋代財賦，本較漢唐爲多。開國之初，養兵僅二十萬（註四），其他冗費亦不多，故府庫輒有羨餘；然治平年間，歲入較太宗時增加六倍，而歲出超過額數，逾一千五百萬（註五），以不到百年時間，財政由盈轉虧，其故安在？神宗熙寧二年（一〇六九）蘇轍奏疏曰：「事之害財者三：一曰冗吏，二曰冗兵，三曰冗費。」（註六）此三者乃宋財政之蠹。眞宗景德時，官有一萬餘員，仁宗皇祐時已增至一倍，英宗視皇祐又增十之三（註七），冗官既多，俸給愈繁。兵籍則太祖開寶之世，僅三十七萬餘，至仁宗慶曆時已增三倍多（註八），兵既日增，且歲歲更戍，耗費益多。而宋代郊祀費之浩大、制祿之厚、補蔭之濫、恩賞之重，皆前代所無；加以每歲納幣買和，尤使國用浩繁，財政枯竭。然而面對此一財政窘境，群臣却束手無策，但知橫征暴斂，苛捐於民。安石〈乞制置三司條例〉即痛陳當時「官亂於上，民貧於下」之景象云：

今天下財用窘急無餘，典領之官，拘於弊法，內外不以相知，盈虛不以相補。諸路上供，歲有定額，豐年便道，可以多致，而不敢不贏；年儉物貴，難於供備，而不敢不足；遠方有倍蓰之輸，中都有半價之鬻。三司發運使，按簿書，促期會而已，無所可否增損於其間；至遇軍國郊祀之大費，則遣使剗刷，殆無餘藏。諸司財用事，往往爲伏匿，不敢實言以備緩急，又憂年計不足，則多爲支移折變以取之。民納租稅數，至或倍其本數；而朝廷所用之物，多求於不產，責於非時，富商大賈，因時乘公私之急，以擅輕重斂散之權。

文中對理財制度之僵化，官僚之顢頇無能，巧立名目及無恤民時，均有深刻之指控；而豪梁大賈之兼併聚斂，尤使「富者財產滿布州域，貧者困窮不免於溝壑。」（註九）至於差役之虐用百姓，勞逸不均，使民「無敢力田積穀，求致厚產」，甚而「遺親背義，自求安全」（註一〇）者，尤似雪上加霜，害農之弊，莫此為甚。是知北宋社會，由於國用浩繁，理財不當，不僅使財政匱乏，無終歲之儲，亦使民生凋弊，不勝其苦。

四、詩賦取士，無學校養成之法

宋代因五代長期變亂，人不悅學，故右文抑武，廣開科名。其中最爲世人所重者，厥爲進士；明經則受人賤視。考試之方，大抵沿襲唐制，試以詩賦，主於詞章，尤以「帖經」、「墨義」，專於記誦，耗精疲神，屢爲人所詬病。如慶曆四年（一〇四四），歐陽修〈論更改貢舉事件劄子〉云：

> 今貢舉之失者，患在有司取人，先詩賦而後策論，使學者不根經術，不本道理，但能誦詩賦，節抄六帖《初學記》之類者，便可剽盜偶儷，以應試格，而童年新學，全不曉事之人，往往幸而中選，此舉子之弊也。

按宋代門第幾已完全推翻，農村子弟，白屋書生，所知者惟應考科目，或專工詩賦，或記誦經籍，既無家訓，且未習治世之方，驟入仕途，不免捉襟見肘。培養人才之學校教育，如國子學、太學等，又徒具虛名，但爲游士寄應之所，殊無國子肄習之法，居常聽講者，僅一、二十人爾。是以王安石亦爲之興歎，云：

> 方今州縣雖有學，取牆壁具而已，非有教導之官，長育人才之事也。惟太學有教導之官，而亦未嘗嚴其選。……今士之所宜學者，天下國家之用也，今悉使置之不教，而教之以課試之文章，使其耗精疲神，窮日之力，以從事於此。及其任之以官也，則又悉使置之，而責之以天下國家之事……宜其才之足以有爲者少矣！（註一一）

當時既以詩賦記誦求天下之士，學校又無養成人才之法，則學者皆捨大方而趨小道，雖濟濟盈庭，欲求有才識者，亦如鳳毛麟角矣。

由於宋代實行强本弱末之國策，收吏政、兵制、財賦權於中央，不僅對內釀成吏治廢弛，朋黨對峙，對外亦促使國無可用之兵，連年備受忍恥增幣之苦；進而將國用之拮据，轉徵於民，苛捐聚斂，差役頻繁，尤使民生凋弊，不堪其苦。安石目睹此一舉國上下，陷入貧弱不振，人才又嚴重不足之窘境，力挽狂瀾於既倒之清議，早見於〈上仁宗皇帝言事書〉；而當神宗以一片赤忱，求賢圖治，安石遂以超邁俗儒之器識，秉堅定積極之態度，切實詳盡之計畫，全力改革。其興利除弊之旨，在力矯國家之沈疴，有治國綱領、中心課題及終極之目標。

安石之治術綱領，見於〈答手詔封還乞罷政事表劄子〉，所謂：

> 誠以陛下初訪臣以事，臣即以變風俗，立法度爲先。

荆公以爲治事雖棼，而提綱挈領，首在變風俗，立法度。變風俗者，使巧僞趨末之風俗，歸于淳樸（

註一一）；立法度者，在合乎先王之政（註一二）。先王之道，乃圖謀民祉之張本，教養生民之大法；惟追效古聖先王之制，更革天下之事，只能「法其意」，不可全歸之太古。準此原則，安石援引古法，參酌今制，以推行新政，且重視權時變法之精神，以墨守成規，執一賊道爲施行新法之避忌，以度義而後動爲新政推動之準繩。故對內主張以德化民（註一四），以義理財（註一五）；對外則強調王師以仁義爲本，不宜多殺斂怨（註一六）！爲防微杜漸，庶免風俗澆薄，安石並提出「刑罰所以不措者此也」（註一七）之論說，可見安石仍推本儒家思想以立法度。其所謂「法度」者，固已涵蓋狹義之刑罰規範，更包括廣義之禮樂政教，故不可逕謂荊公以法家思想改革社會積弊。

立法度、變風俗之根本，據荊公〈上五事劄子〉所言，在「眾建賢才」。基於當時人才不足，及「得士則興，失士則亡」（註一八）之理，安石極爲重視陶冶人才之法。〈論館職劄子〉、〈材論〉、〈取材〉、〈知人〉等篇，均屢申求用人才之重要性，〈上仁宗皇帝言事書〉則分就「教養取任」四法建構其人才理論，故立太學三舍法、設武律醫諸學、增加吏祿、罷詩賦、改試經義等，無一不是其用人思想之踐履，以爲針砭時政，國富兵強之先決條件。

國富兵強乃安石新政之中心課題，其嘗云：「民富然後可教矣」、「民富然後財賄可得而斂」（註一九），又云：「修吾政刑，使將吏稱職，財谷富，兵強而已」（註二〇），期以此振興國本，養兵備邊，進而湔洗外辱，收復失土；然其政治之終極目標，則在輔佐神宗，臻進於堯舜之治。惜新法行之未久，即群議譁然，窒礙紛至，隨元祐諸賢執政，終告失敗。荊公之政治理想雖未實現，然其有系統之理論、有步驟之方法，無論書之言辭，見諸行事，均極富時代精神與意義。

第二節 學術風氣

宋代之學術，一般分為講經之儒學，與談性理之道學，二者均依傍孔氏，使儒家思想成為宋學之主流；然而不守師法、大闡功利之說，尚言性命之理、雜揉儒釋等，又使宋學迥異各代，表現特有之學術風氣。

一、疑古精神

宋初學術遵守古訓，音義異同，必準諸陸氏釋文，有記誦而無心得，大抵不出唐人正義之範圍。其時如李迪即以舍注疏、立異論，考試落黜（註二一）。洎慶曆以後，疑古風氣漸開，劉原父為七經小傳，始異諸儒之說。故《十駕齋養新錄》引王伯厚之言曰：「自漢儒至於慶曆間，談經者守訓故而不鑿。七經小傳出，而稍尚新奇矣。」（註二二）至歐陽修亦講經義而不據注疏，故著《春秋論》、《易童子問》、疑河圖洛書等，申駁偽說亂經，不遺餘力。流及新進後生讀《易》未識卦爻，已謂《十翼》非孔子之言，讀《禮》未知篇數，已謂《周官》為戰國之書者，不可勝言（註二三）。足見發明經旨，矜為創獲，慶曆以後之宋儒靡不如此。

安石修撰經義，《能改齋漫錄》引國史謂其「蓋本於原父」，指其具有劉原父之發明精神，故至《三經新義》行，時儒視漢儒之學如土梗（註二四）。安石自著《周官新義》，〈序〉文亦不諱言：「學者所見，無復全經，於是時也，乃欲訓而發之，臣誠不自揆，然知其難也」，所謂「訓而發之」者，梁任公嘗取而讀之，以爲「發明甚多，非後儒所能及也」（註二五），〈書洪範傳後〉，安石又云：

嗚呼！學者不知古之所以教，而蔽於傳注之學也久矣。當其時，欲其思之深，問之切，而後復正歟，則吾將孰待而言邪？……夫予豈樂反古之所以教，而重爲此譊譊哉？其亦不得已焉者也。

安石所以另闢〈洪範〉新解，而謂爲不得已之因，觀諸李雁湖注荊公〈韓忠獻挽詞二〉云：「介父最不喜劉向諸儒〈洪範傳〉傅會災異之說」（註二六），或可瞭然。至若安石援以訓解經義之《字說》，亦用己意解釋。〈熙寧字說序〉一文嘗云：

余讀許愼《說文》，而於書之意，時有所悟，因序錄其說爲二十卷，以與門人所推經義附之。惜乎先王之文缺已久，愼所記不具，又多舛，而以余之淺陋考之，且有所不合。雖然，庯詎非天之將興斯文也，而以余贊其始？

謂《說文》缺漏舛誤，是以與門徒相予考索附會，並自詡或能因而振興《說文》之學。則荊公不軌家法，自創經旨之言論與做法，固與其個性有關，而運會所趨，亦不免深受兩宋學術疑古、發明風氣之影響。

二、致用思想

發揚致用功利之實學，注重人事制度，亦爲宋初諸儒共有之特質。趙宋財用貧乏，國力衰削固如前述，而諸生士子講尙章句辭章，從事無補之學，於是深思遠識之士，惄焉憂之，發爲富國强兵之議，圖振萎弛苟安之習。且晚唐以來，道佛勢盛，倡言心性象數，以獨善其身，而無意於生民政教，學者乃亟思以明體達用之學，內聖外王之說，將修身正心與治國平天下一以貫之，期由重興儒學以替代釋老，作爲人生之指導。首開風氣之先者，如胡安定設經義、治事二齋，前者明體重學理，後者達用重實習，以爲政教根本（註二七）。次如范仲淹以「先天下之憂而憂，後天下之樂而樂」之襟懷，著〈帝王好尙論〉、〈近名論〉、〈推委臣下論〉、〈選任賢能論〉，主張以有爲、改革，取代無爲、保守，强調「如取道家之言，不使近名，則豈復有忠臣烈士爲國家之用哉？」（註二八）故條陳興革事宜十項，實行慶曆改革，皆能體現其經世致用之思想。再如李覯，雖以科場失意，未入宦途，然著作如《易論》「援輔嗣之注以解義，蓋急乎天下國家之用」（註二九）、《周禮致太平論》由政治、經濟制度闡述《周禮》、《禮論》主張以禮樂刑政四術成就事業等，皆能「崇先聖之遺制，攻後世之乖缺」（註三〇）。又如歐陽修，不暇從事無用之空言，其論六經云：「六經之所載，皆人事之切於世者」（註三一），論禮樂則云：「儒者之於禮樂，不徒誦其文，必能通其用；不獨學於古，必可施於今」（註三二），是以歐公注重人事，不取玄談，每患世之學者多言性，故常爲說曰：「夫性非學者之所急，而聖人之所罕言也」（註三三）。至於北宋初期之理學家，則有以張載爲首之關學，重實踐，講尙經世實濟。安石繼承北宋側重康國濟民思想之學風，其致用精神與上述諸家固有暗合之處。

荆公之致用思想，根源於「道」，以「道」爲宇宙萬物之根本，在天者爲天道，如〈答韓求仁書〉云：「無不在，無不爲」，乃自然而然，爲萬物所以生之理；在人者爲人道，如同篇又云：「道之在我者爲德」，「德以仁爲主」，指仁義禮智信等德性，爲萬物所以成之理。惟因「天能生而不能成，地能成而不能治，聖人者出而治之也」（註三四），是以安石以無爲釋宇宙，以有爲釋人生，而尤强調聖人化成萬物之偉業。〈致一論〉云：「此聖人之所以又貴乎能致用者也」，言聖人以垂教萬世，通乎致用爲可貴。其所以於「聖人」之名外，另以「大人」同實異名者，即爲强調事業之重要性。故〈大人論〉云：

孟子曰：「充實而有光輝之謂大，大而化之之謂聖，聖而不可知之之謂神。」夫此三者，皆聖人之名，而所以稱之之不同者，所指異也。由其道而言謂之神，由其德而言謂之聖，由其事業而言謂之大人。

又以聖人之說，「博大而閎深」（註三五），聖人之術，「修其身，治天下國家，在於安危治亂」（註三六），故安石「要當不遺餘力以求之」（註三七），研求之途徑，則存乎經典，〈答吳孝宗書〉嘗云：「若欲以明道，則離聖人之經，皆不足以有明也」。至於通經之旨，則在經綸世務（註三八）

。是知安石所以明道、尊聖、研經術者，目的悉於切合世用。執政後汲汲乎變法立制，亦無非此一致用精神之踐履，與宋初諸儒重功利之思想乃一脈相承。故元儒鄒元標謂安石乃「儒而有為者」（註三九），誠非虛譽。

三、倡言性命

宋學繼荊公熙寧變法失敗後，逐漸偏重個人身心性命之學。蓋以孔孟而後，漢儒只有傳經之學，性道微言之絕久矣；而韓愈〈原性〉、〈原道〉諸篇，陳義尚粗，李翺〈復性書〉則性靜情動，陽儒陰釋；初期宋學，重心亦不在此。迄至濂溪崛起，會通《易經》、《中庸》，著有〈太極圖說〉、《通書》，推論宇宙生成之理，指出聖人訂立人極之教，始發心性義理之精微。嗣後又有邵雍，與周張二程並稱北宋五子，其全部思想系統，見於所著《皇極經世》，又著有〈漁樵對問〉。康節之學，精於象數，窮天地性理之奧；以心為體，以人為本；本乎《易．繫辭》觀象之說，去有我之見，而論觀物之情；原乎《中庸》誠明之道，而謂心一不分，則可應萬變而窮天地之至妙。周邵之外，又有橫渠「尊禮貴德，樂天知命，以《易》為宗，以《中庸》為體，以孔孟為法」（註四〇），著有《正蒙》，以「理一分殊」為其大本，故論性命之原，則以為太虛聚散，變化成形，繼之者善，成之者性；論為人之道，則以為心能盡性，始可無私；學以修身，所以為仁。至論氣質變化之功，則由於居仁由義，動作中禮。又有〈西銘〉，合天地萬物為一體，而歸結於仁。至於二程論學，以性道為先，注重存養人心，窮性之理。明道主張「誠敬以識仁」，重在發明內心，伊川主張「集義以致知」，重在格物窮理，於是宋學乃自初期之明體達用，重視實際人事，轉向喜談心性之第二期宋學。

安石身處初、中兩期宋學交互激盪之時代，宋初儒者所注意之《易經》、《詩》、《洪範》、《周官》諸經，固爲所重，而理學家以《中庸》、《易傳》合參，上希《論語》、《孟子》義理之群籍，亦爲安石行文立論之準據。其著〈命解〉、〈性情〉、〈王霸〉、〈致一〉、〈大人〉等篇，由知命以迄大人，有天人合一之接引，復推擴至內聖外王之境，更具言下學上達之途徑。其中如〈性情〉篇云：

> 喜怒哀樂好惡欲，未發於外而存於心，性也；喜怒哀樂好惡欲，發於外而見於行，情也。

安石提出《中庸》未發已發一問題，遂爲此後宋明六百年理學家爭辯之焦點，與同時之周濂溪，稍後之程頤說法相通；而安石於歸隱鍾山後，嘗撰〈性論〉，言性善說之醇正無瑕，並不亞於程朱，乃程朱之前發揮孟子精義最有貢獻者。〈王霸〉篇內，介甫以心術義利辨別王霸，與劉敞「利己者亡，利民者霸，能以美利利天下，不言所利者王」（註四一）之論調相同；而荊公綰合心術、政術，將修身正心治平之理一以貫之者，遂爲以後學者遵循，乃宋儒思想進展上之一大貢獻。至於〈致一論〉所云：

> 萬物莫不有至理焉，能精其理，則聖人也；精其理之道，在乎致其一而已。致其一，則天下之物，可以不思而得也。

安石推求萬物中之理，於理中求一致之觀點，又可與程門「理一分殊」說前後輝映。是知安石實乃初、中兩期宋學夾縫中之人物（註四二），其學術思想已採此後理學之驪珠。

四、儒釋道合流

北宋學術之發展，儒釋道三家合流亦爲重要之趨勢。此期之佛教，雖名僧大德輩出，編有如《燈錄》、《語錄》等佛書，然並無自成體系之思想；蓋以唐代佛教極盛時期過後，各宗派僅屬禪宗之臨濟、曹洞二宗與天臺宗有所發展，整體而言，宗派界限漸泯，禪教合一成爲潮流，佛教理論乃日漸衰落。且宋太宗以來，佛道二教均有世俗化之傾向，釋僧大都精於外學，如孤山智圓著〈閑居編〉，主張「修身以儒，治心以釋」，以爲儒釋道三宗本旨融合。契嵩著《輔教編》，强調佛教之五戒十善亦有助於政治教化，謂二教可相資爲用；並援依儒家「立身以顯父母」之孝道，說明佛教更重孝行。道教則宣揚報父母恩，出家道士亦超度其亡親，遂使儒釋道三家區劃不明。加以君主提倡之助力，如太祖敕命沙門文勝編修《大藏經》，太宗鑄佛像、修建各地禪寺，立譯經院，謂「浮屠寺之教，有裨政治」（註四三），眞宗且另著〈崇釋氏論〉，謂儒釋迹異道同，皆爲勸善禁惡，《宋史・藝文志》並著錄有《太宗、眞宗三朝傳授讚詠儀》一卷，今存於道藏（註四四）。於是儒釋道三教融合之思潮盛興，名士學者亦深受其影響。

宋初文士如孫復、石介、李翺等，多就違棄倫常，有損民用之觀點排佛。歐陽修亦著〈本論〉，謂禮義爲勝佛之本；其雖排佛，然受風氣影響，仍與僧友交往（註四五），葉夢得《避暑錄話》且嘗載錄歐公晚年有意於佛之傳聞（註四六）。蘇軾則親炙禪師，時與僧侶往還，〈南華長老題名記〉並發爲儒佛一貫之論。學者如周茂叔從陳搏游，隱師其說，作〈太極圖說〉，實有道家旨趣，而宋代學者皆宗之。二程雖與佛學持對立立場，然明道出入於釋老幾十年（註四七），伊川嘗謂釋氏「亦未得道他不是」（註四八），則釋老思想融入宋代文學、儒學，已爲不爭之事實。安石早年博學眾說，如《冷齋夜話》卷六載惠洪所云：「舒王嗜佛書，曾子固欲諷之。……子固曰：『介甫老而逃佛，亦可一抨。』舒王曰：『子固失言也。善學者，讀其書，唯理之求。有合吾心者，則樵牧之言猶不廢；言而無理，周孔所不敢從。』」荊公〈答曾子固書〉又自言於百家諸子以至〈難經〉、〈素問〉、〈本草〉諸小說，無所不讀。則荊公內外兼學，惟合理愜意是求者，已具儒釋道思想融合之精神。其以爲必須如此，「然後於經爲能知其大體而無疑」，使「異學不能亂也」（註四九），故安石以儒家思想爲主體，兼融佛老之心迹，已不言而喻。《文集》中，對釋老思想之利弊得失，並有精闢之評述。如〈漣水軍淳化院經藏記〉肯定釋老在無思無爲，退藏於密，寂然不動之內聖工夫；〈老子〉、〈莊周〉篇則批評老子輕視禮樂刑政，有不察於理而務高之過；且老莊「無治人之道」，非孟子所謂「大人」（註五〇）；〈禮樂論〉則形容「浮屠直空虛窮苦，絕山林之間，然後足以善其身而已。」是以三家相形比較，「聖人之與釋老，其遠近難易可知。」（註五一）至於言荊公以性命之學偏入佛乘者，或曰：「安石之『性情論』性情分說，是襲自〈大乘起信論〉一心開二門——『心眞如門』、『心生滅門』的舊路。」（註五二）或曰：「安石『性可以爲善，亦可以爲惡』之說，恐是受天臺宗『佛性具惡』的思想影響。」（註五三）蔣義斌又以〈致一論〉言「爲道之序」、〈大人論〉言「大人」之內涵，與佛學相通，並謂安石對傳統儒家內聖外王之架構有所補充，而其補充之主要泉源即爲道、釋（註五四）。錢賓四先生則將安石綰合心性與功利，謂爲「儒釋融成一片之一種理想境界，乃思想史上之一種更深更進之結合也。」（註五五）以上諸說均肯定安石思想融合儒釋道之成果與貢獻；惟於宋明清三代，荆公新學不僅爲程朱學派嚴斥，終使之於理宗朝被黜出孔廟；全祖望補《宋元學案》亦以「荆公欲明聖學而雜於禪」，故列之於《學案》之後，別題爲「學略」，乃因安石融通儒釋而有意貶落之也。

第三節　古文運動

宋代之古文運動，在復唐代之古，不同於唐代復三代兩漢之古；其革新對象爲晚唐以迄宋初之時文，亦不同於唐代以魏晉迄至唐代之駢文爲革新對象。雖然如此，但北宋各時期之古文家，反對之時文，對象仍有所不同。

一、晚唐宋初時期

唐代古文運動，雖以韓柳大力倡導，盛行一時；然以運動本身對駢文之藻麗矯枉過正，有時不免「磔裂章句，隳廢聲韻」（註五六），甚且有礙作者氣格之發展，與思致之運用，時賢已有非議。又以後繼無人，韓門弟子如李漢，傳世之作僅二篇（註五七），不足爲論；李翺雖文風平易，得韓愈文醇（註五八），惜無傳人；皇甫湜則文辭奧奇，師承韓文奇崛而變本加厲，傳至孫樵、劉蛻，雖摹習者不絕如縷，然皆趨奇走怪，益使古文不足觀。加以晚唐時期唯美文學復興，杜牧、李商隱轉事雕章麗句，蔚爲風尙，唐代古文以是一蹶不振。

宋初文風，沿襲五代浮豔餘習，文體卑弱，有周翰、高錫、柳開及范杲習尙淳古，以矯五代文弊。其中柳開首先提出韓柳文爲天下倡，其次指陳「古文」之定義：「非在辭澀言苦，使人難誦讀之」（註五九），對宋初古文運動貢獻最大；然以其爲文艱澀，不易蔚爲革新風潮。稍後則有王禹偁，爲文簡淡古雅，全變五代雕繪之習，下啓古文重平易自然之文風。宋初古文除王禹偁外，其他諸人創作成就並不高，加以祥符年間，眞宗雅好美文，民風趨於豫泰，於是楊億、劉筠、錢惟演等，以文壇盟主，酬唱西崑，欲使卑弱之文體，歸復雅道，乃模仿溫李詩文，號爲「晚唐體」（註六〇）。當時科舉即以此「時文」取士，如歐陽修〈記舊本韓文後〉云：「楊劉之作，號爲時文，能者取科第，擅名聲，以誇榮當世」，而學者爲功名利祿驅引，多刻辭鏤意，依稀彷彿，未暇及古（註六一）。是以穆修又倡古文反對西崑，繼有范仲淹、孫復、尹洙、石介、蘇舜欽等，大張古文旗幟，重道、宗經、致用、尊韓、反浮華之說，均沿承柳王立論。重道如孫復謹守儒家爲文以益政教之旨。宗經如范仲淹，以文風衰蔽之原，「爲學者不根乎經籍」，石介以六經爲聖人文章，含有治道、教化與道德，謂一切文章應以六經爲宗，始合正道。尙致用者如孫復，嘗謂文章應「陳仁政之大經」，「寫下民之憤歎」，「述國家之安危」等，蘇舜欽亦提出文「原於古，至於用」之主張，强調文章經世化民之實用功能。尊韓如穆修，以韓柳「能大吐古人之文，其言與仁義相華，實而不雜」，故校刻韓柳文集，韓柳因而並受尊崇。反浮華如石介，抨擊楊億「窮妍極態，綴風月，弄花草，淫巧侈麗，浮華纂組」，有傷聖人之道。

宋初古文經由上述諸人之鼓吹，乃一掃晚唐、五代體之雕鏤氣習，而返歸於樸質，崇尙經世教化之文體，有助於歐陽修等人文學運動之成功。其文學主張，不僅爲後世古文家論文之準據，亦成爲道學家「文以載道」論之先聲；尤其注重文學禮樂政教之功用，更開政治家文學重實用之先河。惟以前此諸公雖大聲疾呼，而如柳開、石介等，「志欲變古，而力弗逮」（註六二），故仍有俟歐陽修以古文倡，才得以完成宋代古文運動之緒業。

二、歐陽修時期

古文至歐陽修而大盛，其領導古文運動所以成功，除因其文追法李翺，平易自然，條達疏暢，可爲散文典範，易於效習以外，一因其有文學理論，〈答吳充秀才書〉云：「道勝者文不難而自至」，〈答祖擇之書〉又云：「學者當師經……中充實則發爲文者輝光」，可見其「道勝文至」、「充中發外」之古文理論，與宋初古文家一貫。又以「文」之角度推許屈原、司馬相如、揚雄等人（註六三），顯示重道之外，永叔亦兼重文采，與柳開等人迥異其趣。二因其將古文家「文以貫道」之主張，具體爲「文以論政」。蘇轍撰〈歐陽文忠公神道碑〉云：「補西京留守推官，始從乎師魯遊，爲古文，議論當世事。」則歐陽修重視古文之論政目的與價值，可見一斑。故劉子健引洛克所言，謂「北宋議論之風起雲湧，歐陽是一關鍵」（註六四）。三因其主持考政，改革文風，貢舉重策論，問以經義，使文辭者留心治亂，執經者不專記誦，而舉凡華而不實，怪嶮艱澀之作，均予黜落，於是「場屋之習，從是遂變」（註六五），不過「五、六年間，文格遂變而復古」（註六六）。四因上有仁宗三申五令，下有永叔獎掖後進，蔚爲風潮。據歐陽修〈蘇學士文集序〉云：「天子患時文之弊，下詔書，諷勉學者以近古。由是其風漸息，而學者稍趨於古焉」，可見仁宗嘗下詔申誡浮文，提倡散體，有助於文風之復古；加以「世之號能文章，其出歐陽之門者，居十、九焉」（註六七），遂使宋代古文運動，形成一股強大潮流。居中嘗受歐陽修提掖稱譽之蘇軾、曾鞏、王安石並衍爲重文、重道、重用三派（註六八），不僅奠立歐陽修文壇宗師之地位，且三派不論分途發展，或互爲消長，皆受歐公倡率古文之影響（註六九）。

綜上所言，可知北宋古文運動之基本性質爲儒學性、政治性，重視文章之教化實用功能；至歐陽修以後有逐漸尙文之趨勢。其目的據陳子展《宋代文學史》云：

> 尊孟韓以立道統，闢佛老以明正學，抑詩賦以放文弊，重事功以備世急，倡師道以崇教化，務

篤行以崇實踐。

是以在文學理論上，本於經，根於道，宗唐尊韓，務實尙用，遂成爲北宋論文共有之特質。文學創作上，長於議論說理，建立平易自然，流暢婉轉之散文風格，並使其他文體，如詩、駢文，流露散文化之傾向。安石生於此一文風蛻變之時期，與古文家交誼深厚，其創作與論說，自受時代風尙之薰染。如荊公亦反對西崑體之浮靡華艷，有〈張刑部詩序〉嘗云：

楊、劉以其文詞染當世，學者迷其端原，靡靡然窮日力以摹之。粉墨靑朱，顚錯叢龐，無文章黼黻之序，其屬情藉事，不可考據也。

深患時文之雕繪語句，喪失本眞。面對當時學古文者，輒被「排詬之，罪毀之」（註七〇），安石亦不免深歎「古之道廢踣久矣」（註七一）。至於當世科舉取士，策進士者「但以章句聲病，苟尙文辭」，策經學者「徒以記問爲能，不責大義」，安石於〈取材〉篇中亦引以爲憂，謂「彼惡能以詳平政體，緣飾治道，以古今參之，以經術斷之哉？是必唯唯而已」。是以其引文中子言「文乎文乎，苟作云乎哉？必也貫乎道，學乎學乎，博誦云乎哉？必也濟乎義」，建議學者應習有用之言，一心於治道，庶能施之朝廷，用之牧民。則荊公抗心希古，迥出流俗，以矯文弊之精神，實與北宋古文家一脈相承。而其散文寫作，議論正大，識解高超，讀之只覺其精湛，而不覺其艱深者，尤不讓唐宋古文家專美於前。

結　語

荆公以興國利民之志，深思遠慮之識，發於文辭，見諸行事，莫不指切當世，與時勢之遞嬗，運會之趨尙，緊密結合。

當北宋朝野猶佚樂於太平假象之際，安石已洞燭機先，體察北宋財困勢弱，內有政治敗壞，民生凋弊，外則強敵環伺，跋扈飛揚之衰兆，是以關乎拯溺救亂之治術與箴規，散見《文集》，不勝枚舉，可見政治家用意深長，步驟有序，立規宏遠之政治藍圖。而安石力挽狂瀾於既倒之理想雖未實現，然各篇議論時政之作，已刻劃下時代之烙印，足爲宋室之興盛衰亡存留歷史之見證。

荆公之世，宋代經學疑古、發明風氣鼎盛，經世致用之思潮盛極一時，心性義理之學亦悄然登場，而儒釋道三家融合尤爲時尙所趨。身處此一學術思想爭鳴之時代，安石博採各家，內外兼治。既鑽研經術，間出新義，又兼言性命，開示天人合一，內聖外王之境界，且融會釋老，一以濟世致用，修己治人之儒家思想爲依歸。荆公在北宋學術思想史上承先啓後之意義，雖程朱以來迭有撻伐新學者，然其地位終能屹立不搖。

宋代文學，先有五代餘習未殄，繼而西崑酬唱流行，文體益趨駢儷柔靡，古文自唐末以來即成餘響者，以是愈爲流俗擯斥，息絕不行。幸賴柳開追復古聖之道，倡導於前；穆修、石介繼之在後，以摧陷廓淸之功，開歐陽古文運動之先路；又有歐公棄黜怪嶮，以近古爲貴，一時俊乂爭出其門，古文乃大顯於時。荊公因利乘便，於散文理論上，繼踵前人之軌迹，語言形式上，沿續平易曉暢之文風，並與時賢迭相援引創發，進而建立獨樹旗幟之風格。

【附註】

註一　見《宋史‧選舉志六》。
註二　見《蘇東坡全集‧續集》卷十一。
註三　見《宋史紀事本末》卷二呂中曰。
註四　見《宋史》卷一八七兵志禁軍上。
註五　見《宋史》卷一七九食貨志下一會計。
註六　見《長編拾補》卷四神宗熙寧二年三月癸未條。
註七　見《宋史》卷一七九食貨志下一會計。
註八　見《宋史》卷一八七兵志禁軍上。
註九　見《臨川先生文集‧風俗篇》卷六十九。
註一〇　見司馬文公《傳家集》卷四十一，英宗治平四年九月，諫官司馬光所上〈論衙前劄子〉云。
註一一　見《臨川先生文集‧上仁宗皇帝言事書》卷三十九。
註一二　見《臨川先生文集‧風俗篇》卷六十九。

註一三　見同前集〈上仁宗皇帝言事書〉卷三十九。
註一四　見同前集〈石門亭記〉卷八十三。
註一五　見同前集〈答曾公立書〉卷七十三。
註一六　見同前集〈與王子醇書三〉卷七十三。
註一七　見同前集〈風俗篇〉卷六十九。
註一八　見同前集〈上龔舍人書〉拾遺。
註一九　見《周官新義》卷一。
註二〇　見《續資治通鑑長編》卷二二〇，熙寧四年二月庚午條。
註二一　見蘇子由《龍川別志》卷上。
註二二　見《十駕齋養新錄》十八宋儒經學。
註二三　見馬宗霍《中國經學史》第十篇〈宋之經學〉引司馬光云。
註二四　見《十駕齋養新錄》十八宋儒經學。
註二五　見梁啓超《王荊公・荊公之學術》第二十章。
註二六　見李雁湖《箋注王荊文公詩》卷四十九。
註二七　《宋元學案》卷一安定學案，引述其門人劉彝之言曰：「臣師當寶元明道之間，尤病其失，遂以明體達用之學，授諸生，夙夜勤瘁，二十餘年……故今學者明夫聖人體用，以為政教之本，皆臣師之功。」

註二八　見《范文正公文集・近名論》卷五。

註二九　見《直講李先生文集》卷三。

註三〇　見同前集卷二〈禮論〉七篇序。

註三一　見《歐陽文忠公集・答李詡第二書》卷四十七。

註三二　見同前集〈武成王廟問進士策二首〉卷四十八。

註三三　見《居士集・答李詡第二書》卷四十七。

註三四　見《老子崇寧五注》〈天地〉章第五，《道德眞經集義》引丞相新貌。

註三五　見《臨川先生文集・答陳梠書》卷七十七。

註三六　見《臨川先生文集・答姚闢書》卷七十五。

註三七　同註三五。

註三八　見《宋史》卷四二七道學列傳張載。

註三九　見明鄒元標〈崇儒書院記〉，《王荊公年譜考略》卷首之二引。

註四〇　見《宋史》卷四二七道學列傳張載。

註四一　見《知不足齋叢書》劉敞《公是弟子記》卷一。

註四二　見錢賓四著《中國學術思想史論叢㈤・初期宋學》。

註四三　見《太宗實錄》卷二十六。

註四四　《太宗真宗三朝傳授讚詠儀》二卷，載錄於《宋史・藝文志》卷二〇五，爲張商英所編。今道藏中有商英《金籙齋三洞讚詠儀》，當是其書。

註四五　歐陽修嘗爲秘演及惟儼之集子寫序，如〈釋秘演詩集序〉云：「（秘演）奇男子也……狀貌雄傑，其胸中浩然，既習於佛無所用，獨其詩可行於世。」〈釋惟儼文集序〉又云：「（惟儼）雖學於佛而通儒術，喜爲辭章……非賢士不交。」

註四六　歐陽修晚年受富弼影響，心動於佛學之說，見於葉夢得《避暑錄話》卷上。

註四七　見《宋元學案》卷十三明道學案上。

註四八　見《河南程氏遺書》第十八。

註四九　見《臨川先生文集・答曾子固書》卷七十三。

註五〇　見同前集〈答王深甫書一〉卷七十二。

註五一　見同前集〈禮樂論〉卷六十六。

註五二　見錢賓四《中國學術思想史論叢㈤・初期宋學》。

註五三　見蔣義斌《宋代儒釋調和論及排佛論之演進——王安石之融通儒釋及程朱學派之排佛反王》第二章。

註五四　同註五三。

註五五　同註五一。

註五六　見裴度〈寄李翺書〉：「觀弟近日制作，大旨常以時世之文，多偶對儷句，屬綴風雲，羈束聲韻，爲文之病甚矣。故以雄詞遠致，一以矯之，則是以文字爲意也。……且文者，聖人假之以達其心，心達則已，理窮則已，非故高之下之，詳之略之也。……又何必遠關經術，然後騁其材力哉！……故文之異，在氣格之高下，思致之淺深，不在其磔裂章句，隳廢聲韻也。」《全唐文》卷五三八。

註五七　見《全唐文》卷七四四，李漢僅存〈僕射不當受中丞侍郎拜議〉、〈昌黎先生集序〉二篇。

註五八　《四庫全書總目提要》卷一五〇皇甫持正集下云：「（湜）文與李翺同出韓愈。翺得愈之醇，而湜得愈之奇崛。」

註五九　見《河東先生集・應責篇》卷一。

註六〇　見羅根澤《文學批評史》第六篇〈兩宋文學批評史〉第一章。

註六一　見《范文正公集・尹師魯河南集序》卷六。

註六二　見《宋史・文苑傳》卷四三九。

註六三　見《歐陽文忠公集・代人上王樞密求先集序書》居士外集卷一七。

註六四　見劉子健《歐陽修的治學與從政》上編〈歐陽修的學術與思想〉註六三：「引言註一 Locke, pt. II, PP. 34-36.」。

註六五　見《宋史・歐陽修列傳》卷三一九。

註六六　見《歐陽文忠公集・事迹》》附錄卷五。

註六七　見張耒《柯山集拾遺・上曾子固龍圖書》卷十二。

註六八　見郭紹虞《中國文學批評史》。

註六九　見張須〈歐陽修與散文中興〉，國文月刊七十六期。

註七〇　見《河南穆公集・答喬適書》卷二。

註七一　見《臨川先生文集・答孫長倩書》卷七十六。

第四章　王荊公之著作考述

王安石一生好學能文，著作宏富，究心覃研，可觀其精神興致、思想閫奧及詩文之高妙。惜後人惑於陋儒之見，未加葆愛，以致宋時多已散佚。以下即分由經、史、子、集四節，論述荊公作品之存佚，進以窺測其治學爲文得力之所在。

第一節　經部著述

全祖望云：「荊公解經，最有孔鄭家法，言簡意賅」（註一），梁啓超亦稱「發明甚多，非後儒所能及也」（註二），是知安石治經，有本有源，又能自出新裁。其解經之說，號爲新學，在當時不僅行於場屋，且後學紹述其說者頗多，影響可謂既深且遠。安石有關經學之著作如后列：

一、《易解》

《宋史．藝文志》錄十四卷（以下簡稱《宋志》），《郡齋讀書志》（以下簡稱《讀書志》）、《文獻通考》作二十卷，今佚。《周易義海》嘗引其經注一百三十條。如比卦九五云：

田不合圍，三面而驅，所失者前禽而已。上六前禽之象，舍逆取順，雖有所比，道之光也，湯武不能服楚越，非湯武之恥，舍逆之道；唐太宗之伐高麗，是失矣，上下相比，強不凌弱，眾不暴寡，雖邑人可以不戒，民心罔中，惟爾之中，故曰上使中也。

此條荆公援引史事以證精義，闡述較詳，它注則大多簡略。如比象：「地上有水，比；先王以建萬國，親諸候。」王注云：「水不離而行，有親比之象。」又如否卦初六：「拔茅茹，以其彙，貞吉亨。」王注：「如有用我者，則以其類往矣。」僅隨文解義而已。故《讀書志》云：「介甫《三經新義》皆頒學官，獨《易解》自謂少作未善，不專以取士。」雖云如此，然宋儒程頤却亟稱之。朱子《語類》卷九十六嘗錄：「伊川教人看《易》，以王輔嗣、胡翼之、王介甫三人易解看，此便是讀書之門庭。」蓋以荆公解《易》於象數掃除略盡（註三），故能切合伊川治經務去穿鑿玄遠，力求平實之意。王應麟《困學紀聞》亦以井卦九三，荆公解云：「求王明，孔子所謂異乎人之求也」，稱揚安石「文意精妙，諸儒所不及。」則荆公解《易》，亦非全無是處。是以當時若龔原、耿南仲皆翕然歸從其門，注《易》以王學爲宗，三書均行於場屋（註四）。安石易說，今尚有〈易泛論〉、〈卦名解〉、〈河圖洛書義〉、〈九卦論〉、〈易象論解〉諸篇，存於《臨川先生文集》。

二、〈洪範傳〉

一卷。今存《臨川先生文集》卷六十五。〈傳〉云：「衍者，吉之謂也；忒者，凶之謂也。吉言衍，則凶之爲耗，可知也；凶言忒，則吉之爲當，亦可知也。」荆公以「吉、凶」釋「衍、忒」，與舊注大異其趣。其著〈傳〉之意，據《臨川先生文集》卷七十一〈書洪範傳後〉云：

> 予悲夫〈洪範〉者，武王之所以虛心而問，與箕子之所以悉意而言，爲傳注者汩之，以至於今冥冥也。於是爲作傳，以通其意。

按〈洪範〉相傳爲周武王，訪問殷商遺老箕子，治國御民之道，箕子因爲之演陳九疇大法。漢時已有伏生、董仲舒、劉向作注，而荊公鑑於舊注傅會災異之說，不足以發明經旨，乃別著此傳，大意言天人不相干，雖有災異，不足畏也（註五）。〈洪範傳〉成，陸佃得之，「心獨謂然」，願歸臨川先生之門（註六），黃震亦謂「字義多足取者」（註七），均予肯定。荊公另有〈進洪範表〉，存本集卷五十六。

三、《尚書新義》

宋神宗熙寧四年（一〇七一）二月，從王安石之請，詔頒科舉新法，罷詩賦，考《詩》、《書》、《易》、《周禮》、《禮記》、《論》、《孟》七經。時爲因應新制需要，朝野多欲早修經義，使義理歸一，以便傳習，神宗亦三復「一道德」之意，於是安石令陸佃、沈季長作《詩義》，而親與商定（註八）。及六年（一〇七三）三月，設立修撰經義局，命安石提舉，王雱、呂惠卿兼同修撰（註九）。八年（一〇七五）六月，撰成《尚書》、《詩經》、《周禮》三經義進御（註一〇），以副本送國子監鏤版施行，用爲教材，據以取士，使學術一統。

安石等所修經義，本名《周禮義》、《書義》、《詩義》，總稱《三經義》，而以安石行新法，而號曰《新義》（註一一）。其中最先成者爲《尚書義》十三卷，時在熙寧七年（一〇七四）（註一二），係依據安石之經筵講義，由王雱撰述，公爲之作〈序〉，存本集卷八十四。熙寧九年（一〇七六），安石退居江寧，仍續改定《新義》，至元豐三年（一〇八〇）八月畢事，上〈乞改三經義誤字劄子〉二道，關於《書義》者有六條。荊公《書》解，如朱子《語類》卷七十八云：「介甫解亦不可不看」，金人王若虛《著述辨惑》曰：「其所自見而勝先儒者，纔十餘章耳；餘皆委曲穿鑿，出於私意」，可謂毀譽參半；而據《辨惑》所言，知此書南宋時尚有傳本，且播及北朝。迄乎元世，書經唯世祖、武宗、明宗朝成書之《尚書纂傳》、《書蔡氏傳錄纂註》、《書蔡氏傳纂述》，集安石《書義》數十百條；覈之有宋諸書，合者達數十條，應取材自《尚書新義》原書無疑。永樂以後，則明儒引安石《書》解悉自宋元儒書轉采（註一三），原卷至此已不可覩矣。

四、《詩經新義》

《宋志》作二十卷，《文獻通考》作三十卷。《讀書志》云：「毛詩先命王雱訓其辭；復命安石訓其義。書成，以賜太學，布之天下，以取士云」。《宋志》又錄《舒王詩義外傳》十二卷，想即晁氏所言「復命安石訓其義」者；而《宋志》著錄二十卷者，蓋即「王雱訓其辭」是也。元豐三年（一〇八〇），安石上〈乞改三經義誤字劄子〉，以改定《詩義》十九條最多。此因熙寧七年（一〇七四）至八年（一〇七五），安石罷相期間，呂惠卿嘗乘提舉經義局之便，竄改安石父子草擬之《詩義》。安石不察，即進上頒行，俟後知悉，極爲不懌，乃上劄請改復。自宋人引安石《詩義》之佚文，如呂祖謙《呂氏家塾讀詩記》引四、五百條，朱熹《詩集傳》引六條，李樗《毛詩詳解》引四、五百條中，安石重視詩之美刺作用、肯定詩序釋詩之價値、以爲詩禮足以相解、精於訓釋字義等特色，可見一斑。其《詩義》固有獨抒己見之處，而於先儒之言，亦朝不離手，不敢怠忽（註一四）。今是書已佚，有〈序〉存於《臨川集》卷八十四，並有大陸學者邱漢生，彙輯佚文，成書《詩義鉤沈》（註一五）。

五、《周禮新義》

《讀書志》、《直齋書錄解題》（以下簡稱《書錄解題》）均錄二十二卷，其解不及於《考工記》。是書原稿本，蔡絛尚及見之，有《鐵圍山叢談》云：

及政和時，有司上言天府所籍吳氏資居檢校庫，而吳氏者，王丞相之姻家也，且多有王丞相文書。於是朝廷悉命藏諸秘閣，用是吾得見之。《周禮新義》筆跡，猶斜風細雨，誠介甫親書。

謂介甫自爲《周官義》，書於徽宗政和年間尙存。按荊公一生最服膺《周禮》，晁公武云：「介甫以其書理財者居半，愛之如行青苗之類，皆稽焉。所以自釋其義者，蓋以其所創新法，盡傅著之，務塞異議者之口」（註一六），是知此書爲熙寧新法之淵源，荊公用功最深，故鄭重爲之訓解。元豐三年（一〇八〇），安石改定《周禮義》九條。逝後，國子司業黃隱欲毀新經，呂陶請止之，謂先儒之傳注既未全是，而荊公之解經，亦未必全非，洵爲知言。《三經新義》之官板及印本，至靖康元年（一一二六）尚存；及至汴破，或毀於兵燹，或爲金人丟棄亡佚（註一七）。《周禮義》僅餘〈序〉，存《臨川集》卷八十四。清乾隆年間，纂修《四庫全書》，周永年等自缺本《永樂大典》中抄輯殘文，即今文淵閣《四庫全書》本：《周禮新義》十六卷附《考工記解》二卷。其中《考工記解》爲鄭宗顏所輯，非安石自著。殘缺佚文，則先有清錢儀吉爲之增補百三十餘條，得十六卷，刻入《經苑》；陳壽祺亦自南宋魏了翁《周禮折衷》所引，輯出若干條；然短收、譌誤者仍多，繼有今人程元敏撰《三經新義輯考彙評》，佚書乃燦然大備。據《四庫全書提要》云：

今觀此書，惟訓詁多用《字說》，病其牽合，其餘依經詮義，如所解八則之治都鄙，八統之馭萬民，九兩之繫邦國者，皆具有發明，無所謂舞文害道之處。故王昭禹、林之奇、王與之、陳友仁等注《周禮》，頗據其說。欽定《周官義疏》，亦不廢採用，又安可盡以人廢耶？

論述《周禮新義》之得失，及荆公禮說之影響，可謂的當。

六、《左氏解》

《宋志》錄一卷，今佚。《宋史》荆公本傳嘗謂安石黜《春秋》之書，不使列於學官，甚至目之爲斷爛朝報。今考安石作《左氏解》，則非不欲立，明矣。荆公〈答韓求仁書〉亦云：「春秋三傳，既不足信，故於諸經尤爲難知」謂三傳異同，無所考正，故未立學官，不以取士。荆公弟子陸佃亦嘗辯說，曰：

若夫荆公不爲《春秋》，蓋嘗聞之矣。公曰：「三經所以造士，《春秋》非造士之書也。學者求經，當自近者始：學得《詩》，然後學《書》；學得《書》，然後學《禮》；三者備，《春秋》其通矣。故詩書執禮，子所雅言，《春秋》罕言以此。」由是觀之，承學之士驟而語《禮》，不知其本也；驟而語《春秋》，不知其始也。（註一八）則荆公以爲學有本末，《春秋》居後，故不輕言《春秋》。是以林和靖曰：「荆公未嘗廢《春秋》以爲斷爛朝報，皆後來無忌憚者，託介甫之言。」（註一九）

七、《孝經解》

一卷，今佚。《讀書志》云：「經云：『當不義，則子不可不諍於父』，而孟子猥云：『父子之間不責善』，夫豈然哉！今介甫因謂：「當不義則諍之，非責善也。』噫！不爲不義即善也。阿其所好，以巧慧侮聖人之言至此，君子疾夫佞者有以也」，頗不以荆公注解爲然。

八、《論語解》

十卷，今佚。《讀書志》云：「王介甫撰，並其子雱《口義》，其徒陳用之《解》。紹聖後皆行於場屋。或曰：『用之書，乃鄒浩所著，託之用之云。』」《宋志》論語類有「王安石《通類》一卷，王雱《解》十卷」，應即是書。

九、《孟子解》

宋以前注釋《孟子》者，不過十三、四家，較諸宋以後數百家，眞不可以道里計。宋儒重視《孟子》，與安石素喜《孟子》，自爲之解，崇、觀間場屋舉子宗之有關（註二〇）。安石解《孟》，十四卷，今佚。全祖望嘗云：「去其《字說》之支離，而存其菁華，所謂六藝不朽之妙，良不可雷同而詆也」（註二一），是荆公此書亦有其可取。其子雱與其門人許允成皆有注釋，龔原亦著《孟子解》十卷，宗法王說。

十、《字説》

《宋志》錄廿四卷，《讀書志》、《文獻通考》作二十卷。黃庭堅〈書王荆公騎驢圖〉云：「荆公晚年，删定《字說》，出入百家，語簡而意深，常自以爲平生精力，盡於此書」，朱子《語類》卷一三〇亦云：「介甫每得新文字，窮日夜閱之」，可見荆公晚年，用力於是。其著《字說》，意在統一對文字之解釋，以廓清並防止經注之紛歧，故《三經新義》之訓詁多用《字說》，二者相輔而行。《字說》自元豐五年（一〇八二）進于朝，與《三經新義》同行於科場；元祐中，以言者「指其雜揉釋老，穿鑿破碎，聾瞽學者，特禁絕之」，紹聖以後，復行於場屋。《字說》盛行時，爲之音訓解釋者眾多（註二二）；但以荆公專就象形、會意推求字義，昧於形聲之旨；且援引後出之小說佛書，以解古人造字之義，不免穿鑿舛謬，是以禁絕後，後學逐漸熄迹。有宋儒楊時嘗著〈王氏字說辨〉一卷，專闢《字說》之曲解附會處，其批評荆公「其義於儒佛兩失」。《字說》於明季尚有傳本，至清修《四庫全書》則未見其目。有〈序〉，存本集卷八十四；又有〈進字說劄子〉、〈進字說表〉，分見於本集卷四十三、五十六。據〈進字說表〉云：

臣頃御燕間，親承訓敕，抱痾負憂，久無所成，雖嘗有獻，大懼冒涗。退復自力，用忘疾憊，咨諏討論，博盡所疑。冀或涓塵，有助深崇。

則知未成書前，荊公已曾先擇定稿投進。故陸游《渭南文集・跋重廣字說》云：「《字說》凡有數本，蓋先後之異，此猶非定本也。」近人輯佚之文，如柯昌頤嘗就諸書所引，輯得五十餘條。于師大成亦援《周官新義》、陸佃《埤雅》、楊時《字說辨》，以及宋元人筆記，下訖李時珍《本草綱目》諸書所引，裒輯成書，惜未見刊行（註二三）。

第二節　史部著述

荊公史部之作品，均已亡佚；其中《日錄》一書，則爲李燾著述《續資治通鑑長編》所參考，具有第一手史料之價值。

一、《王氏日錄》

《王氏日錄》，宋人著錄不一其名。《宋志》史部故事類有《熙寧奏對》七十八卷，傳記類又有王安石《舒王日錄》十二卷。袁本《讀書志》作《鍾山日錄》二十卷；衢本《讀書志》則在卷六雜史類有《王氏日錄》八十卷，且於卷九傳記類，另有《鍾山日錄》二十卷，二者實即一書。《書錄解題》則錄《熙寧日錄》四十卷，丞相王安石撰。鄭樵《通志・藝文略》史類雜史有《熙寧奏對日錄》一百卷，王安石撰。《朱子大全》卷八十三〈跋王荊公進鄴侯遺事奏藁〉附引《日錄》原文，則作《熙寧奏對日錄》。由上舉四書所言，《日錄》全名應作《王安石熙寧奏對日錄》，簡稱爲《王安石日錄》，約八十卷。

《日錄》之內容，據《續資治通鑑長編》卷四十二云：

紹聖四年十月壬午，蔡京言：「竊見王安石有《日錄》一集，其間皆先帝與安石反覆論天下事，及熙寧改更法度之意，本末備具。欲乞略行修纂進讀。」上曰：「宮中自有本，朕已詳閱數次矣。」

爲熙寧年間安石與神宗論議之語。雖言如此，然其影響却歷紹聖、崇寧以至南宋。舉凡新黨更張，則尊爲經典，與舊黨斥爲「託訓自譽」，「見則掠美於己，非則斂怨於君」（註二四），互相抗衡，成爲黨爭之禍端。此書記載自熙寧元年（一〇六八）四月起，終於七年三月；再起於八年三月，終於九年六月；然無八年九月以後，至九年四月事，可見其書於當時已缺；《書錄解題》又載「書本八十卷，今止有其半」，知南宋時已亡佚殆半，至今則無一卷之存，僅有丁則良爲之輯佚，都千餘則，四萬餘言（註二五）。

二、《南郊式》

《宋志》錄「王安石《南郊式》一百十卷」，見於史部儀注類，今佚。《臨川集》卷五十六有〈進修南郊勑式表〉。

三、《三司令式》

卷數不詳。《宋史．神宗本紀》云：「熙寧三年十二月庚辰，命王安石提舉編修《三司令式》。」又〈職官志〉一：「提舉修敕令，自熙寧初編修《三司令式》，命宰臣王安石提舉，是後皆以宰執爲之」。按荊公施行新法，首制置三司條例司，掌經畫邦計，議變舊法，以通天下之利，此式蓋公爲參知政事時，提舉編修者也。今佚。

四、《熙寧詳定編敕》等

《宋志》史部刑法類錄「王安石《熙寧詳定編敕》等二十五卷」，今佚。《臨川集》卷五十六有〈進熙寧編勅表〉，〈表〉云：「匿而不可不爲者事，麤而不可不陳者法，……屢彌歲年，刪除煩複，蒐補闕遺，於趣時因民，則粗捄抗敝之實，以方古垂後，則或俟新美之才」，於書之性質、用意，可窺一斑。

五、《英宗實錄》

三十卷，今佚。《讀書志》云：「熙寧元年正月，詔公亮提舉，呂公著、韓維修撰，孫覺、曾鞏檢討。……四月，又以王安石、吳充爲修撰，二年七月，書成上之」。按《臨川集》卷四十二，有〈乞免修實錄劄子〉，沈欽韓注云：「按此〈劄子〉，則介甫初不與修，豈嘗辭而不得已歟」，則知荊公雖辭未准，仍於次年完成是書。東坡嘗謂此書詞簡而事備，文古而意明，推許爲宋朝諸史之冠（註二六）。

第三節　子部著述

荆公爲學無所不包，著述亦兼及道釋，二程因視介甫之學，壞了後生學者（註二七），二程門人尤爲此口誅筆伐，不遺餘力，「新學」在南宋之發展亦因而受挫。

一、《老子注》

《讀書志》作二卷。晁氏曰：「介甫平生最喜《老子》，故解釋最所致意」，其意蓋指《老子》首章：「無名天地之始，有名萬物之母；常無欲以觀其妙，常有欲以觀其徼」，荆公皆於「有」、「無」字下斷句，與先儒不同，他注亦如此。是書今佚，有〈論老子〉一篇，存於公集卷六十八，云：

無之所以爲車用者，以有轂輻也；無之所以爲天下用者，以有禮樂刑政也。如其廢轂輻於車，廢禮樂刑政於天下，而坐求其無之爲用也，則亦近於愚矣。

荆公直指無爲論不切世用之偏失，可窺其論老思想之一斑。此注今佚，宋彭耜編纂之《道德眞經集註》中，尚錄佚文數百條，爲嚴靈峰彙輯於《無求備齋老子集成初稿》。以尚有疏失，嚴氏又重加董理，採王氏所著、王雱及門人僚屬如陸佃、劉槩、劉涇諸家殘注，詳爲斠正，成書《老子崇寧五注》，由成文出版社印行。

二、《淮南雜說》

十卷。《讀書志》嘗引蔡京爲安石傳略，曰：「初，著《雜說》數萬言。世謂其言與孟軻相上下，於是天下之士，始原道德之意，窺性命之端云。」此書今佚，有學者頗疑《文集》卷六十五至七十諸卷，即《淮南雜說》（註二八）。

三、《莊子解》

《讀書附志》作「一卷，荆國文公王安石所解也」，今佚。有〈莊周〉二篇，存於《臨川集》卷六十八，謂莊子之說，在矯天下之弊而歸之於正，惜矯之過，不得不爲邪說也。據此可見荆公對莊周之評價。其子王雱另有《注莊子》十卷，錄於《文獻通考》。

四、《揚子解》

《讀書志》作一卷，今佚。荆公有〈揚雄〉、〈揚子〉詩，及〈揚孟〉一文，分別存於《臨川集》卷九、卷三十二及卷六十四。

五、《楞嚴經疏解》

十卷。又名《楞嚴經王文公介甫解》、《定林疏解》。《楞嚴經指掌疏懸示》云：「文公罷相，歸老鍾山之定林，著有《楞嚴經疏解》。略諸師之詳，而詳諸師之略。洪覺稱之，謂其非智者莫窺也。」晚明時，項元汴以三十金購得荆公小行書楞嚴經旨，乃趙松雪舊藏，後歸曹秋岳、安儀周，上海藝苑眞賞社曾爲影印，公元豐八年（一〇八五）四月十一日書也。今已散佚，唯宋洪範撰〈楞嚴尊頂法論〉、思坦〈楞嚴經集注〉及明錢謙益作〈楞嚴經蒙鈔〉猶有徵引。

六、《金剛般若經注》

《文獻通考》錄一卷，又引晁氏曰：「後秦僧鳩摩羅什譯。唐僧宗密、僧知恩、皇朝思元仁、賈昌朝、王安石注」。是注與《維摩詰經注》，皆作於荆公晚年（註二九）。

七、《維摩詰經注》

《宋志》子部釋氏類作三卷。蓋荆公以謝靈運、僧肇等注，多失其旨；又疑鳩摩羅什、慧能等注解，乃妄人竊藉其名，遂以己見，爲之訓釋。繕錄後並曾上進神宗（註三〇）。

第四節　集部著述

安石集部之著述最多，流傳亦最廣，荆公思想文章之精華，追慕者如梁啓超即曾有「吾論公文，吾恨不能手寫公全集」之歎（註三一）。

一、《王安石文集》

《宋志》載《王安石集》一百卷，《書錄解題》亦同。《讀書志》、《文獻通考》則作一百三十卷；焦竑《國史經籍志》亦作一百卷，別出《後集》八十卷。按公集原有閩浙二本，殆刊板不一，著錄者各據所見，故卷數互異。今世所行本，實止一百卷，可分二類：一是源於宋紹興十年（一一四〇）詹大和刻本，即所謂臨川本。如紹興廿一年（一一五一）王珏刻《臨川先生文集》、明代嘉靖年間應氏刻本及何氏重刻本，均據是而刻。一是南宋龍舒本，卷數次第不同於詹氏刻本。另有《臨川集拾遺》收錄遺詩佚文。以下即分予列述：

㈠臨川本

據清楊希閔〈年譜推論〉云：「公集凡數刻，就所見者，紹興十年桐廬詹大和刻本，黃次山季岑爲之序。淳熙十五年錢塘錢象山刻本，陸象山爲之序，元時，危素將刻公文，徵吳草廬爲序，序傳而其刻未見也。」然詹、錢、危諸本，已不見於今。依據詹大和臨川本翻刻者，則有如下數種：

1. 宋紹興二十一年（一一五一）王珏刻本

每半葉十二行，每行二十字，凡一百卷。卷首有荊公曾孫王珏題記，云：

曾大父之文，舊所刊行，率多舛誤。政和中門下侍郎薛公、宣和中先伯父大資，皆被旨編定，後罹兵火，是書不傳。比年，臨川龍舒刊行，尚循舊本。珏家藏不備，復求遺藁於薛公家，是正精確。多以曾大父親筆石刻爲據，其間參用眾本，取捨尤詳。至於斷缺，則以舊本補校足之，凡百卷，庶廣其傳云。

言此本係依據詹刻，復就薛肇明所編《臨川集》補校而成。覈之明繙詹大和刻本，卷第相同，惟輓詞類中少〈蘇才翁輓詞〉二首，集句中少〈離昇州作〉一首，而多〈移桃花〉一首（註三二）。今詹本未見，在臺宋刻僅餘珏本，存於中央圖書館（附書影一），其受重視可想見耳。

2. 明嘉靖廿五年（一五四六）應雲鸑刊本

每半葉十一行，每行廿二字，凡一百卷。卷首有元刻《臨川王文公集》吳澄序，《新刊王臨川集

》章袞序，卷末有陳九川序，應雲鸑題識。乃應氏鑑於「舊閩浙蘇吳俱有刻，公梓里臨川顧缺無傳」，故取家藏詹本讎校而翻刻焉，與詹刻基本相同。是本中圖、故宮、中研院均收有原刻（附書影二）。

3.明嘉靖三十九年（一五六〇）何遷撫州刊本

每半葉十二行，行二十字，凡一百卷。有紹興十年（一一四〇）詹刻本之黃次山序，明嘉靖三十九年（一五六〇）王宗沐序，卷末附應本明人三序跋。今通行《四部叢刊》所影印者，即撫州刊本（附書影三）。葉德輝以爲何本似未見宋刻，但從應本重刊。《郎園藏書志》云：

應本紹興重刊《臨川文集》序，黃次山序「藝祖」二字提行頂格，何本不提行，可見何本未見宋本，故任意改刻也。自來藏書家書目，往往知有應本，而又誤以何本即應本，不知何本尚是重刊應本，故并刻有應序，非余家藏本俱在，又烏從而分辨之！

葉氏所言，王重民於《美國國會藏中國善本書目》曾予批駁，云：

余因檢《四部叢刊》所印何本，「藝祖」二字固提行頂格也，此本無嘉靖間序跋，不知爲應爲何，「藝祖」二字亦提行頂格也。葉君不應有目誤，或所據本黃序適爲補刻，不然既照刻陳、章、應三序跋，何以獨於黃〈序〉有改易？……又臨川爲撫州首治，諸家謂應刻則稱臨川，謂何刻則稱撫州，論地則同爲一地，論時間不過相距十四年，實無重刻之必要也。

王氏以爲是集乃應侯原刻，何氏巡撫撫州時，據爲已刻，而另屬王宗沐爲冠新序而已。按何本究爲應本之原刻，抑或重刊？以葉氏家有藏本，且《善本書室藏書志》，亦與《郎園藏書志》相同，對二本分別著錄，似以葉說較爲可信。今坊間排印本多從撫州刊本，華正書局印行之《臨川先生文集》，除以撫州覆紹興中詹刻爲底本外，並用鐵琴銅劍樓舊藏宋紹興刊本、繆氏小岯山館刊本、清綺齋本《王荆文公詩箋注》、嘉業堂本沈欽韓《王荆文公詩文集注》、《宋文鑑》、《宋詩紀事》、《四庫全書考證》等校勘，校語附注於每卷之末，並附〈補遺〉。因較其他排印本收羅完備，校正審愼，是以用爲本論文援引公集之底本。

4.明萬曆四十年（一六一二）石城王荆岑光啓堂刊本

每半葉十行，行二十字，一百卷。卷前有黃次山序、章袞序、王宗沐序、茅坤〈王文公文集引〉，及明萬曆四十年李光祚〈光啓堂重校荆公文集序〉。李〈序〉嘗云：

荆公……當時著作若干卷，嘉靖丙午邑侯應象山梓之，諸名公敍之詳矣。迄今藏公署中，作萬丈光。凡縉紳士大夫宦遊吾省者，悉走幣徵求。獲之，如持琅玕，讀之如食沆瀣，眞足爲斯文主盟。其玄孫鳳翔，別號荆岑者，遑遑鐫名家文集於金陵，遍行海內，矧以先公家藏，肯令其局閟一方，而不爲之廣傳寰宇乎？

謂荆公玄孫鳳翔，按其家藏，翻刻於金陵。驗其各卷次第、內容，又與宋紹興十年詹大和刻本同一系統。今於中圖、中研院，均有收藏（附書影四）。

㈡龍舒本《王文公文集》

此書係南宋高宗時依薛肇明編次之《文集》付梓，爲王珏所未見（註三三）。版心下端刻有孫右、施光、阮宗、江清、陳伸等三十餘位刻工名字。據宋紹興二十一年王珏刻本題記云：「比年，臨川龍舒刊行，尚循舊本」，足證紹興年間確曾刊刻是本，且較珏本爲早。日本宮內省圖書寮藏有殘宋本《王文公文集》，今存七十卷，佚其末詩集數卷。原爲日本金澤文庫藏書，森立之《經籍訪古志》、《圖書寮漢籍善本書目》、《金澤文庫善本圖書錄》幷有解題。據日人島田翰《殘宋本王文公集跋》所言，此書每半葉十行，行十七字，桓殷闕末筆，於「構」字下注云：「御書」。其序目失去，編次由卷一至卷八書，卷九宣詔，卷十至卷十四制誥，卷十五至卷廿一表，卷廿二至卷廿四啓，卷廿五傳，卷廿六至卷卅三雜著，卷卅四、卅五記，卷卅六序，卷卅七至卷五十一古詩，卷五十二至卷七十律詩。先文後詩，與紹興本大不相同。又據傅沅叔《藏園東遊別錄》記日本宮內省圖書寮藏王文公集殘本，云：

> 余故人穎川君，居江淮之交，家藏《王文公集》，其板式行款，正與此（按：圖書寮藏本）同。然余爲視此可貴者，有三：原書楮墨精湛，且紙背皆宋人交承啓劄，筆墨雅麗，眞可反覆把翫，此可貴者一也。寮本無序目，於是談者妄生揣測，以爲眞賞齋之一百六十卷本而佚其半者。此本目錄完全，仍爲一百卷，不過次第與紹興本異耳，而積疑賴此盡釋，此可貴者二也。寮本缺七十以下三十二各卷，此本缺卷四至六，卷三十七至四十七，卷六十一至六十九，共缺二十四卷，而七十卷以下完然具存，正可補寮本之缺，且必有佚文出羅鈔以外者，此

可貴者三也。

則見《王文公文集》另有殘本存於大陸，且有序目，可知殘本原卷爲一百。據趙萬里〈跋龍舒本王文公集〉一文，以爲原藏清季內閣大庫，光緒年間轉入寶應劉啓端氏食舊德齋者，蝶裝廣幅，紙瑩墨潤，除十數卷外，餘卷紙背皆爲宋人書牘手札眞迹，飛鳧舞鶴，各極其致。尤可貴者，二殘本互補可窺《文集》全豹。

臨川本與龍舒本相較，互有短長。龍舒本與薛肇明初編本內容較接近，古詩中五、七言古詩，律詩中各體律詩、絕句，均雜厠不分，不如臨川本部居謹嚴；而龍舒本卷七十五〈即事〉十五首、〈半山即事〉十首、〈雜咏絕句〉十五首、〈絕句〉九首，臨川本均按體分編，除個別幾首外，又摘各詩首句首二字爲題，巧立名目，已失詩人旨意，不如龍舒本於義爲長。大抵而言，臨川本有而龍舒本缺之篇目較多，龍舒本有而臨川本缺之篇目較少，是以研究荆公之思想與文學作品，仍以臨川本爲佳（註三四）。

兩本互勘，除叠見篇題與字句之異文，應細加抉別，擇善而從外，尙有如下情形：

1. 兩本脫文，可互爲校補：如臨川本卷六十七〈夫子賢於堯舜〉一文，起首脫去一百八十字，見於蜀本《二百家名賢文粹》，與龍舒本合。其脫文正賴龍舒本、《名賢文粹》補足。又如龍舒本卷七十四〈召赴資政殿聽讀詩義感事〉詩吳冲卿原作後，脫去荆公和作、卷七十五〈偶成〉第二首，前後脫去四句等，皆賴臨川本校補。

2.兩本佚篇，可互爲輯補：臨川本佚篇，前人嘗據日本藏本前七十卷輯印《臨川集拾遺》，然其中有與《臨川集》重複、或闕漏未輯者，可據龍舒本輯補；至於龍舒本佚篇有待臨川本輯補者，則數量尤多。

龍舒本《王文公文集》，宋以後未見翻版，傳本幾絕。一九六二年上海中華書局編輯所據徐森玉先生倡議，先將傅沅叔先生自國內藏本拍攝之玻璃片制版影印，尚缺廿六卷，適巧北京圖書館由日本東洋文庫得前七十卷影片，一九七四年上海中華書局因向北京圖書館轉借補印，全書乃得璧合。

㈢《臨川集拾遺》

安石詩文集，本出門弟子排比裒集，非爲自定，故當時已議其舛錯遺漏。集中有誤以爲荆公所作者，如蔡條《西淸詩話》載錄「春殘葉密花枝少云云，皆元之詩也；金陵獨酌、寄劉原甫，王君玉詩也；臨津豔豔花千樹云云，皆王平甫詩也」；有佚文未見收錄者，如葉夢得《石林詩話》嘗云「（荆公）作詩，得『靑山捫蝨坐，黃鳥挾書眠』，自謂不減杜語，以爲得意，然不能舉全篇，……薛肇明後被旨編公集，求之，終莫得。」吳曾《能改齋漫錄》亦云：「荆公嘗題一絕句于夏畋扇……本集不載，見《湟川集》，可見荆公《文集》譌漏之作尚多。是以陸心源乃據《宋文鑑》、《宋文選》、《五百家播芳大全文粹》、《能改齋漫錄》等書，輯得荆公遺文佚詩十餘篇，刊入《群書校補》、日人島田翰氏則以宮內省圖書寮所藏殘本《王文公文集》，取校今本，得四十七篇，爲遺文一卷。羅振玉則取陸氏所錄荆公佚詩佚文載入《群書校補》，合以宋槧本所載不見桐廬本《臨川集》者，依其類次，輯爲《臨川集拾遺》一卷，六十七篇。惟以未錄歌曲類，故華正書局印行之《臨川先生文集》除收錄陸、島田諸家所輯王氏佚篇，又滙集朱孝臧《彊村叢書》本《臨川先生歌曲》、唐圭璋《全宋詞》卷三十九補輯，題名《臨川集補遺》，附於書末。惟《拾遺》、《補遺》均沿襲島田翰之疏漏，所錄之佚文，有與《臨川集》重複者，如〈許將可大理評事制〉，即臨川本卷五十一〈許將簽書昭慶軍節度判官廳公事制〉，〈崇班胡珙等改官制〉已見臨川本卷五十三，〈賀生皇子表〉已見臨川本卷五十八，〈回賀生日啓〉即臨川本卷七十九〈回留守太尉賀生日啓〉。由此可見，安石《文集》，目前尚無善本，仍有待以臨川本爲基礎，輔以龍舒本，區別其名實異同，加以增訂，使之更趨完備。

二、《臨川王先生文粹》

爲明朝徐師曾於嘉靖庚申年（一五六〇），自《臨川集》編選荊公詩文四卷六十七篇而成書。蓋徐氏以安石之文，雖與曾鞏並傳，而好者尤鮮；且荊公作文，流暢剴切，紆餘委備，是以徐氏擇其尤工者付梓印行。書前有師曾〈臨川王氏文粹序〉，爲清董漢策刊本，共四冊，今收藏於師大。

三、《王荊文公詩箋註》

五十卷，南宋李壁箋注。以《宋志》失載，藏書家少有著錄，刻本亦罕見。是以此書於清乾隆年間發現時，海內以爲奇書。今流傳之刻本有二：

㈠清海鹽張宗松於乾隆六年（一七四一）據元本重刻

乾隆年間，華山馬氏得元大德刻本，有劉辰翁評點，張宗松爲重開行世，乃刪辰翁評點，意欲存李箋原貌，四庫著錄者，即張氏此本。中研院亦有收藏，爲清綺齋藏本（附書影五），早年上海會文堂書坊則有影印本。據張宗松〈序〉云：

予十年前購得華山馬氏所藏元刻本，間取通行《臨川集》勘之，篇目既多寡不同，題字亦增損互異，乃歎是書之善，不獨援據該洽，可號王氏功臣也。

今覈此書所有，而爲《臨川集》所無者，計有詩七十六首。宗松又於其書略例第十則云：「李氏之注王詩，猶施氏之注蘇詩，任氏之注黃陳二家詩也」，可見其頗重視李注之價値，又以辰翁評點，品藻甲乙，容有未當，且雜亂注中，使觀者目眩，故予芟之。

㈡近人張元濟於民國十年（一九二一）據元本補刊

張元濟乃宗松六世孫，曾收得先人刻本殘卷，適傅增湘道出蘇州，爲元濟購得元刻本，乃留存辰翁評點，重印行世。其間缺葉、辰翁嗣子將孫與毋逢辰序，及詹大和所撰〈荆公年譜〉，則用朝鮮活字本（註三五）（附書影六）、日本宮內省圖書寮，及江南圖書館本補之，又用劉承幹藏殘宋本補魏了翁序，於是書稱善本焉。今中圖有元大德刊本（附書影七），廣文書局所印行者，即元濟重刊本。又據將孫〈序〉云：「先君子須溪先生於詩喜荆公，嘗評點李注本，刪其繁，以付門生兒子」，是知李注曾爲劉辰翁所刪節，惜張宗松未見本序，否則不會以刪去劉氏評點，即復李注原貌。故吳騫《拜經樓詩話》卷二嘗云：「宋李雁湖箋注王半山詩集，海鹽張氏所雕者，乃元劉辰翁節本，失雁湖本來面目。」按李壁乃史學世家，博閱群籍，其於荆公詩微旨，自然有所發明，當時劉克莊即云：「雁湖注半山詩甚精確」（註三六），而辰翁評點，「大率破碎纖仄，無裨來學」（註三七），是以辰翁於李箋，實有所損。

李注於李壁卒後，續有增補。據吳騫《拜經樓詩話》云：

曾見知不足齋所藏宋刻半部，箋注並全，每卷後又有庚寅補注，不知出自誰手？晁氏《讀書志》亦未之及。或疑即雁湖所補。考壁以寧宗開禧丁卯（一二〇七）出居臨川，箋注詩集，當在是時。其卒於嘉定壬午（一二二二），至理宗紹定庚寅（一二三〇），雁湖沒已八載，安得復出其手？或其門人如魏鶴山序中所謂李四美之流爲之，則未可知耳。

吳氏據殘宋本，謂雁湖卒於寧宗嘉定十五年（一二二二），而補注在理宗紹定二、三年（一二二九—一二三〇），故續有增補，非雁湖所爲可知。

李注以後，續有清沈欽韓以爲李注多闕略，而爲之補正，成書四卷，另有文集箋注八卷。生前未刻，經王秉恩取《宋史》，及嘉靖本《臨川集》校勘後，由劉承幹於丁卯年（一九二七）刊行，爲嘉業堂刊本。近有圈點排字本，即臺北古亭書屋覆印，書名《王荆公詩文沈氏注》。以網羅散佚，考證周詳，爲研究荆公詩文必備之書。

㈢日本蓬左文庫《王荆公集》

亦爲李壁注，劉辰翁評點，所據元刻本應同於張元濟之補刊本；然二者仍有差別。一爲書名不同，二爲目錄前序文次序不同，依次爲魏了翁序、毋逢辰序、劉將孫序、詹大和年譜，與張元濟本以魏了翁序、劉將孫序、毋逢辰序、詹大和年譜爲次者有異。其版式爲左右雙邊，有界九行，行十七字，注小字雙行，圈點附刻，版心白口內向三葉花文三魚尾。乃名古屋市蓬左文庫所藏之朝鮮古活字本（附書影八）。惜本集國內未見，他日若有幸檢閱此書，將再詳加比對其異同。

四、《唐百家詩選》

二十卷，爲宋犖據宋乾道本翻刻者。據《讀書志》云：

皇朝宋敏求次道編。次道爲三司判官，嘗取其家所藏唐人一百八家詩，選擇其佳者，凡一千二百四十六首爲一編。王介甫觀之，因再有所去取，且題云：「欲觀唐詩者，觀此足矣」，世遂以爲介甫所纂。

以是書爲宋次道所編。今考《臨川集》卷八十四，，荆公有〈唐百家詩選序〉云：

余與宋次道同爲三司判官時，次道出其家藏唐詩百餘編，委余擇其佳者，次道因名曰《百家詩選》。廢日力於此，良可悔也。雖然，欲知唐詩者，觀此足矣。

則《詩選》確爲荆公所編，晁說有誤。按是本於宋乾道年間已淪沒，爲倪仲傅親戚，得之於臨川，於是倪氏爲之鏤板，以新其傳。清康熙中，商邱宋犖始購得殘本，刻之；既又得其全本，續刻以行，而二十卷之數復完。當時有疑其僞者，經閻若璩歷引高棅《唐詩品彙》所稱：「以玄宗〈早渡蒲關〉詩爲開卷第一」，陳振孫《書錄解題》所稱：「非惟不及李、杜、韓三家，即王維、韋應物、元、白、劉、柳、孟郊、張籍皆不及」，始證其眞。又殘本佚去安石原序，若璩以《臨川集》所載補之，其文俱載若璩《潛邱劄記》中，惟今本所錄，共一千二百六十二首，較晁氏所記多十六首，若璩未及置論，不知是否爲《讀書志》傳寫錯誤所致。至於荆公選詩之標準，歷來亦頗多爭議。如《書錄解題》云：「世言李、杜、韓詩不與，爲有深意，其實不然」，《四庫提要》亦云：「是書去取，絕不可解」；惟蔡上翔嘗擬重刊《唐百家詩選》，先爲作序，辨明此書之去取，云：

全唐諸大家詩，其全集已見於世矣！其佳者固不勝選也，而亦不必選；惟此百家詩，視諸大家若猶降一等，必待擇而精者亦出也，而後《全唐詩》之佳者於是乎乃全。故曰：「欲知唐詩者，觀此足矣。」

可見荆公選詩自有其微旨。今故宮藏有清康熙四十二年（一七〇三）宋氏雙清閣刊本四冊二十卷，每半葉十行，每行十八字，卷前有宋犖提識、倪仲傅、荆公序，後有淮山陽丘迥跋（附書影九）；臺大藏有日本享和元年刊本，列於昌平叢書，每半葉九行，行廿一字，及日本昭和十一年東京靜嘉堂文庫影印宋刊本，殘存十卷，三者底本均同。

五、《四家詩選》

十卷。據《書錄解題》云：「王安石所選，杜韓歐李詩，其置李於末，而歐反在其上，或亦謂有所抑揚云」，惜此書今佚。

結　語

安石爲一博學鴻儒，以通貫之才識，兼治四部，均能成績斐然。其經學著述，捨棄相傳之專尚訓詁，用己意發明經旨；且六藝之學，各有所傳，獨行於世六十年，對宋代學術自有其不可磨滅之地位與價值。其史學作品，均已失傳，然或爲史書所取材，或被尊爲宋朝諸史之冠，影響新舊黨爭之對峙，直至南宋猶餘波未息。觀其子學著作，可見荆公喜誦釋老之言，對其思想、爲文均有深刻之影響；然安石畢竟爲知所去取之人，釋老經籍之注解、論評，終究無法與其羽翼儒道之信念相提並論。安石集部之作，蔚爲大觀，作詩爲文，光彩奪目，在文壇上各領風騷；惜其文集，或雜有贋品，或重出疏漏，迄無善本，猶待整理校勘，以爲覃研之準據。

【附註】

註一　見明黃宗羲撰，全祖望補《宋元學案》卷九八〈荆公新學略〉。

註二　見梁啓超《王荆公．荆公之學術》第二十章。

註三　見《宋元學案．安定學案》卷一，陳直齋曰：「王晦叔問南軒曰：『伊川令學者先看王輔嗣、胡翼之、王介甫三家易，何也？』南軒曰：『三家不論互體故耳。要之三家于象數掃除略盡，非特如所云互體也。』」

註四　見晁公武《郡齋讀書志》卷一，王介甫《易義》二十卷條下。

註五　見同前志卷一。

註 六　見宋陸佃《陶山集．傅府君墓誌》卷十五。

註 七　見宋黃震《黃氏日抄》卷六十四。

註 八　見《續資治通鑑長編》卷二三九。

註 九　見同前編卷二四三。

註一〇　見同前編卷二六五。

註一一　見程元敏〈三經新義板本與流通〉，刊於臺大《文史哲學報》。

註一二　見于師大成〈王安石三經新義〉，刊於《孔孟月刊》第十一卷第一期。

註一三　同註一一。

註一四　見宋陸游《老學庵筆記》卷一云：「先左丞（陸佃）言，荊公有《詩正義》一部，朝夕不離手。字大半不可辨。世謂荊公忽先儒之說，蓋不然也。」

註一五　大陸學者邱漢生輯校《詩義鈎沈》，由北京中華書局，於一九八二年九月出版。

註一六　見晁公武《郡齋讀書志》卷二。

註一七　同註一一。

註一八　見《荊公年譜考略》附楊希閔〈年譜推論〉，引陸佃《陶山集．答崔子方秀才書》。

註一九　《宋元學案．荊公新學略》，引林竹溪《鬳齋學記》言。

註二〇　見《讀書志》卷十。清王鳴盛《蛾術》篇卷二亦云：「孟子自在諸子，自王安石妄欲比孟，孟始尊矣。」

註二一　同註一。

註二二　見《老學庵筆記》卷二。

註二三　見于師大成〈王安石三經新義〉，刊於《孔孟月刊》第十一卷第一期。

註二四　見宋陳瓘《四明尊堯集》。

註二五　見丁則良〈王安石《日錄》考〉，刊於《清華學報》第十三卷第二期。

註二六　見《文獻通考》卷一九四，《英宗實錄》條下，東坡先生語劉莊輿羲仲云。

註二七　見《河南程氏遺書》卷二上。

註二八　見侯外廬主編《中國思想通史》第四卷上冊，第九章。

註二九　見《臨川集補遺・進二經劄子》。

註三〇　同註二九。

註三一　見梁啓超《王荆公》第二十一章。

註三二　見清瞿鏞《鐵琴銅劍樓藏書目錄》卷二十。

註三三　見日人島田翰〈殘宋本王文公文集跋〉，收錄於華正書局印行《臨川先生文集》書末。

註三四　見大陸學者程弘〈王安石文集的版本〉，刊於《文史》第五輯。

註三五　《王荆文公詩》五十卷附年譜一卷，李壁注，劉辰翁評點之朝鮮活字板本，故宮亦有收藏。前有毋逢辰、劉將孫序，詹大和撰〈王荆文公年譜〉、魏了翁等序。張宗松序、略例及荆公詩補遺五首，亦在正文前。

註三六　見《後山詩話》續集卷四。

註三七　見《四庫全書總目提要》卷一六五，《須溪集》條下。

第五章　王荊公之散文淵源

介甫於書無所不觀，於農夫女工無所不問，故能擷取經史百家之成說，納入篇章，成爲創作論文之活水泉源。故茲舉其深切著明之大端，藉以明瞭荊公之散文根柢。

第一節　歸本經術

荊公著書爲文，多自經術脫胎而出，蘇軾謂之「罔羅六藝之遺文，斷以己意」（註一），劉孟塗言其「源於經術」（註二），可見安石散文著力之所在。

荊公《文集》中，各篇散文明引六經、論孟原文者，不勝枚舉。稱述《易經》者，如〈與王逢原書〉云：「《易》曰：『遯世無悶』，樂天知命是也」，〈禮樂論〉云：「《易》曰：『擬之而後言，議之而後動，擬議以成變化』，變化之應，天人之極致也」，〈易泛論〉、〈卦名解〉、〈易象論解〉且通篇闡釋易理，此與荊公治《易》，「夙夜勉焉，而懼終不及者也」有關（註三）。引用《詩經》者，如〈石門亭記〉云：「《詩》云：『駕言出遊，以寫我憂』，夫環顧其身無可憂，而憂者必在天下，憂天下亦仁也」，〈答韓求仁書〉云：「〈關雎〉之詩，所謂『悠哉悠哉，輾轉反側』者，孔子所謂哀而不傷者也」，〈上執政書〉云：「於是〈裳裳者華〉、〈魚藻〉之詩作於時，而曰『左之左之，君子宜之；右之右之，君子有之；惟其有之，是以似之』」，又有〈周南詩次解〉專釋《周南》詩之篇次。援引《尚書》者，如〈石門亭記〉云：「《書》不云乎？『予耄遜於荒』」，〈禮樂論〉云：「《書》言天人之道，莫大於〈洪範〉；〈洪範〉之言天人之道，莫大於『貌言視聽思』」，並有〈洪範傳〉發揮九疇大義。引述禮經者，如〈議郊廟太牢劄子〉云：「《記》曰：『先王之制禮也，不可多也，不可寡也，唯其稱也。』是故君子大牢而祭謂之禮」，〈上五事劄子〉云：「蓋免役之法，出於《周官》所謂『府史胥徒』，〈王制〉所謂『庶人在官』者也」等。至如孔孟之書，以安石尊崇孔子集諸聖人之事，大成萬世之法（註四），推許孟子爲聖人（註五），且致力於復興孟學之志業，使孟子配享，其書被尊爲經（註六），故孔孟思想學說成爲荆公散文之重要淵源，《文集》中取資《論語》、《孟子》之處甚多。如〈答韓求仁書〉云：「孔子曰：『志於道，據於德，依於仁』」，語出《論語・述而》，〈上邵學士書〉云：「仲尼曰：『有德必有言，德不孤，必有鄰』」，引自《論語・里仁》，〈書洪範傳後〉云：「孔子曰：『不憤不啓，不悱不發，舉一隅，不以三隅反，則不復也』」，摘述於《論語・述而》，〈馬漢臣墓誌銘〉云：「秀而不實者，有矣夫」，語出《論語・子罕》；明引自《孟子》者，則有〈善救方後序〉云：「孟子曰『先王有不忍人之心，斯有不忍人之政』」，〈答段縫書〉云：「孟子曰：『國人皆曰可殺，未可也；見可殺焉，然後殺之』」，〈諫官論〉云：「蠹諫於王而不用，致爲臣而去。孟子曰：『有言責者，不得其言則去；有官守者，不得其職則去』」，〈非禮之禮〉云：「孟子曰：『非禮之禮，非義之義，大人不爲』」等，出自《孟子》〈公孫丑〉、〈梁惠王〉、〈離婁〉等篇，由安石徵引經典之繁複，則其散文之淵源可得矣。

荆公又有暗用經典，融入字裏行間者，如〈論館職劄子〉云：「所謂敷納以言，明試以功，用人惟己，闢四門，明四目，達四聰者，蓋如此而已」，自「敷納以言」以下六句，係引用《尚書・堯典》之成辭，而未說明出處；〈禮樂論〉云：「聖人之言，莫大於顏淵之問，非禮勿視，非禮勿聽，非禮勿言，非禮勿動，則仁之道，亦不遠也」，語本自《論語・顏淵》，以說明禮之規範。〈命解〉云：「今不知命之人，剛則不以道御之，而曰『有命焉，彼安能困我？』由此則死乎巖牆之下者，猶正命也」，「死乎巖牆之下者，猶正命也」語出《孟子・盡心》篇。〈周禮義序〉，吳北江以爲「詞藻亦多，取之於經，所以澤乎爾雅」（註七）；〈詩義序〉，吳闓生謂之「遣辭立義，一取於本經」（註八）；〈桂州新城記〉，茅鹿門評曰「荆公學本經術，故其記文多以經術爲案」（註九），是知安石學行、爲文皆一本經術。

此外，安石並引申聖人之說，以建立一己之論。哲學思想方面，天命、性情、聖人、致用、時變觀念之提出，皆以經籍爲本。「命」爲安石散文中一重要觀念，以爲「命」乃冥冥中安排，非人力所能挽回之事實，祇有竭盡人事，勉爲善行，對結果之貧富貴賤，得失禍福，則順受其正，不必妄加希覬，以求僥倖。此一知命思想，實沿承孔孟而來。〈答史諷書〉云：「知我者，其天乎？此乃《易》所謂知命也。命者，非獨貴賤死生爾，萬物之廢興皆命也」，取資《易經・繫辭》知命之說，將人世一切行爲歸於天命。〈與王逢原書〉又云：「身猶屬於命，天下之治，其可以不屬於命乎？孔子曰『不知命，無以爲君子』，又曰：『道之將行也歟？命也；道之將廢也歟？命也』」，謂仲尼亦視身之生死、道之行廢、天下治亂爲「命」，是以消極方面，吾人應樂天知命，預備承受順逆不同之結果，故〈與王逢原書〉云：

孔子之說如此，而或以爲君子之學，汲汲以憂世者，惑也。惑於此而進退之行，不得於孔子者有之矣，故有孔不暇暖席之說。吾獨以聖人之心，未始有憂，……吾雖不忘天下，而命不可必合，憂之其能合乎？《易》曰：『遯世無悶』，樂天知命是也。

謂君子不以身之窮通禍福，天下之興亡治亂，棲棲惶惶，煩憂不已，倘能知順逆有命之理，自能樂天安命。積極方面，則應脩身以俟命，如〈答史諷書〉云：

學足乎己，則不有知於上，必有知於下；不有傳於今，必有傳於後；不幸而不見知於上下，而不傳於今，又不傳於後，古之人蓋猶不憾也。……孟子曰：「君子行法以俟命而已矣。」

則不論得意失志，榮辱成敗，君子皆能盡義以行道，以積極向上，不得無憾之精神，面對現實人生，此即孟子「脩身以俟命」、「行法以俟命」之眞諦。荊公並以時處逆境之孔孟爲例，〈命解〉篇云：

孔子不以弱而離道，孟子不以賤而失禮，故立乎千世之上，而爲學者師。右師陳蔡之大夫，卒亦不得傷焉，以其有命也。今不知命之人，剛則不以道御之，而曰「有命焉，彼安能困我？」由此則死乎巖牆之下者，猶正命也。

讚佩孔孟於困頓之時，猶能盡修身存養之道，不因弱賤而懷憂喪志，遠勝於只知認命而不知脩身俟命之徒，足以奉爲百代之師表。由此可知安石知命、立命之思想，實源自於孔孟。

安石性情論，亦爲其重要之哲學思想，觀點曾有轉變，原主張性情合一，性善惡混，歸隱蔣山後，乃改從儒家之性善說。其〈性論〉篇云：

> 古之善言性者，莫如仲尼，仲尼聖之粹也，仲尼而下，莫如子思，子思學仲尼者也；其次莫如孟軻，孟軻學子思者也。……噫！以一聖二賢之心而求之，則性歸於善而已矣。……欲明其性，則孔子所謂「性相近，習相遠」，《中庸》所謂「率性之謂道」，孟軻所謂「人無有不善」之說是也。

謂一聖二賢「性歸於善」之論調，乃善言「性」之主張。如此安石不僅肯定仲尼、子思、孟軻論性一脈相承之學統，且與安石原先於〈性情〉篇主張性善惡混、〈原性〉篇強調性無善惡可言者，有極大之出入，顯示安石終採儒家性善理論之過程。〈性論〉篇又云：

> 夫有性有才之分何也？曰性者，生之質也，五常是也。唯上智與下愚，均有之矣。蓋上智得之之全，而下愚得之之微也。夫人生之有五常也，猶水之趨乎下，而木之漸乎上也。謂上智者有之，而下愚者無之，惑矣。……夫性猶水也，江河之與畎澮，小大雖異，而其趨於下同也。

性猶木也，楩柟之與樗櫟，長短雖異，而其漸於上同也。智而至於極上，愚而至於極下，其昏明雖異，然其於惻隱羞惡是非辭遜之端，則同矣。

安石貫通仲尼「上智與下愚不移」，及孟軻「人性之善也，猶水之就下也」之說，以仁義禮智信之「五常」言「性」，謂人性之善如水之就下，木之漸上，發明孟子性善論之本旨；〈答孫長倩書〉又云：「語曰：『塗之人皆可以爲禹，蓋人人有善性，而未必善自充也』」，闡述孟子學說，可謂不遺餘力；〈荀卿論〉上篇且駁斥荀子性惡論，言「荀卿以爲人之性惡，則豈非所謂禍仁義者哉？顧孟子之生不在荀卿之後焉爾；使孟子出其後，則辭而闢之矣」，則安石論性善，不僅承繼孔孟思想，且對孟子地位之提昇頗有助益，由蔡京作〈王安石傳〉云：「初著《雜說》數萬言，世謂其言與孟軻相上下，於是天下之世，始原道德之意，窺性命之端云」，可見一斑。

安石散文論及「聖人」之處甚多，惟爲「聖人」之異名──「大人」釋義，其源來自《孟子》。〈大人論〉云：

孟子曰：「充實而有光輝之謂大，大而化之之謂聖，聖而不可知之之謂神」，夫此三者，皆聖人之名而所以稱之之不同者，所指異也。由其道而言謂之神，由其德而言謂之聖，由其事業而言謂之大人。

荆公以「大人」、「聖人」、「神人」三名用指聖人者，乃源自《孟子．盡心》篇之啓發。按《孟子》書中，常見「大人」一詞，但並未明言能否與「聖人」一語等量齊觀；而荆公爲强調神人待德而後顯，待業而後形之觀點，提高德、業之地位，乃將三者釋爲同實而異名。其以事業形容「大人」，强調大人之事功表現者，仍推本於孟子所言，如〈答王深甫書〉云：

> 某以謂期於正己而不期於正物，而使萬物自正焉，是無治人之道也。無治人之道者，是老莊之爲也。所謂大人者，豈老莊之爲哉？

可見荆公推本《孟子．盡心》篇所言「有大人者，正己而物正者也」，爲「大人」一語定義，以能自治而後治人者謂之「大人」，强調其經世致用之表現。

安石之致用思想，於〈致一論〉中嘗自言其出處，云：

> 《易》曰：「一致而百慮」，言百慮之歸乎一也。苟能致一以精天下之理，則可以入神矣；既入於神，則道之至也；夫如是，則無思無爲，寂然不動之時也。雖然，天下之事，固有可思可爲者，則豈可以不通其故哉？此聖人之所以又貴乎能致用者也。致用之效，始乎安身，蓋天下之物，莫親乎吾之身，能利其用以安吾之身，則無所往而不濟也。無所往而不濟，則德其有不崇哉？故《易》曰：「精義入神以致用，利用安身以崇德」，此道之序也。

蓋惟有貞正專一，精研萬物之理，才能臻於入神至聖之境界。聖人之境界，固爲「無思無爲寂然不動之時」，而儒家之聖人卻積極有爲，《易繫辭傳》於「無思無爲寂然不動」之下，續云：「感而遂通天下之故」，正是變無爲成有爲之證明。故王安石云：「固有可思可爲者，則豈可以不通其故哉？此聖人之所以又貴乎能致用者也」，謂聖人以禮樂刑政化成天下萬物，以致用爲貴。並徵引《易繫辭傳

》，言致用須由安身做起，而後推及於家國天下，開物成務，如此其品德自然崇高，受人景仰，此乃達道之次序。由此可知安石重視致用之思想，主要係由《易傳》而來。

由於時地事物之變遷，吾人立身處世必須採行合宜之觀念與做法。此一「時變」之思想，自《孟子》、《易傳》以下，由來已久，安石亦深受其影響。〈洪範傳〉云：

> 五行也者，成變化而行鬼神，往來乎天地之間而不窮者也，是故謂之行。……一柔一剛、一晦一明，故有正有邪、有善有惡、有醜有好、有凶有吉。性命之理，道德之意，皆在是矣。

謂自然五行之變化，剛柔相濟，明暗交替，因而產生正邪、善惡、醜好、吉凶等狀況，其理與《易繫辭上》云：「天尊地卑，乾坤定矣，……動靜有常，剛柔斷矣，方以類聚，物以群分，吉凶生矣。在天成象，在地成形，變化見矣」相同，皆言宇宙自然之變化，與人事之吉凶禍福息息相關。〈非禮之禮〉篇又云：

> 夫天下之事，其爲變豈一乎哉？固有跡同而實異者矣。今之人諰諰然求合於其跡，而不知權時之變，是則所同者古人之跡，而所異者其實也。……孟子曰：「非禮之禮，非義之義，大人不爲」，蓋所謂跡同而實異者也。……桀紂爲不善，而湯武放弒之，而天下不以爲不義也。

「非禮之禮，非義之義，大人不爲」者，語出《孟子・離婁》篇，安石藉以闡述其「禮」不可拘古不化，須應時制宜，通權達變之主張；所舉「湯放桀，武王伐紂，不爲不義」之例證，則引自《孟子・梁惠王》篇，可見孟子權變觀對安石之啓發。〈答韓求仁書〉又云：

文王之時，關譏而不征；及周公制禮，則凶荒札喪，然後無征，蓋所以權之也。貢者夏后氏之法，而孟子以爲不善者，不善非夏后氏之罪也，時而已矣。

乃安石參酌《孟子》〈梁惠王〉、〈滕文公〉篇所載文王關譏而不征，夏后氏五十而貢之事例，說明其因時地所宜制定理財方法，是知安石時變之觀念，確曾受《易傳》、《孟子》等典籍之影響。

政治思想方面，安石法先王、論王霸、尚德治、富國利民之主張，均脫胎於經典。〈上仁宗皇帝言事書〉云：

今朝廷法嚴令具，無所不有，而臣以謂無法度者，何哉？方今之法度，多不合乎先王之政故也。孟子曰：「有仁心仁聞而澤不加於百姓者，爲政不法於先王之道故也」。以孟子之說觀方今之失，正在於此而已。……夫人才不足，則陛下雖欲改易更革天下之事，以合先王之意，……臣故曰：「其勢必未能也」。孟子曰：「徒法不能以自行」，非此之謂乎？……臣始讀《孟子》，見孟子言王政之易行，心則以爲誠然，……孟子之言不爲過，又況今欲改易更革，其勢非若孟子所爲之難也。

安石一再徵引《孟子》文辭，闡述其法先王，仁政愛民之政治主張，以發揮一已法先王之政，而徒法不行，應有步驟舉用培養賢才之議論。故蔡元鳳謂「荊公之學，原本經術，其〈上仁宗皇帝書〉，秦、漢而下，未有及此者」（註一〇）。其次，安石又酌採孟子之成說，提出「王霸論」之見解。按《孟子》一書，論及王霸異同者有四處：一爲〈公孫丑〉上云：「以力假仁者霸，霸，必有國大。以德行仁者王，王，不待大」，係就手段與動機之不同分別王霸；二爲〈盡心〉篇云：「堯舜，性之也；湯武，身之也；五霸，假之也。久假而不歸，惡知其非有也」，則由本有與外假區劃之；三爲〈盡心〉篇云：「霸者之民，驩虞如也。王者之民，皞皞如也。殺之而不怨，利之而不庸，民之遷善而不知爲之者」自事功效果之差異辨別之；四爲〈告子〉下云：「天子討而不伐，諸侯伐而不討。五霸者，摟諸侯以伐諸侯者也。故曰：『五霸者，三王之罪之人也。』」乃依政治地位區分。而安石〈王霸論〉云：

> 仁義禮信，天下之達道，而王霸之所同也。夫王之與霸，其所以用者則同，而其所以名者則異，何也？蓋其心異而已矣。其心異則其事異，其事異則其功異，其功異則其名不得不異也。

明指王霸之同，在於體現仁義禮信之道；王霸之異，則在於二者心術不同。王者心無所求，視仁義禮信爲吾所當爲，故由修身推及治政，無爲而民自化；而霸者不然，其心未嘗存有仁義禮信，所以示人以仁義禮信者，其心在利，恐民之不見，天下不聞，而惡其不仁不義，不禮不信也。觀安石所言，正爲孟子論王霸之綜合意見，既表明王霸有表裏（安石謂之心術）之不同，而王者爲利民，霸者爲徼名，動機不同，其事功自然有異，唯有王者之道，能使民德歸厚而不自知。安石又舉齊桓公、晉文公之事例，云：

> 齊桓公劫於曹沫之刃，而許歸其地。夫欲歸其地者，非吾之心也；許之者免死而已。由王者之道，則勿歸焉可也；而桓公必歸之地。晉文公伐原，約三日而退，三日而原不降，由王者之

道，則雖待其降焉可也；而文公必退其師。蓋欲其信示於民者也，凡所爲仁義禮信，亦無以異於此矣。故曰：其事異也。

按齊桓公、晉文公所以約而有信，正《孟子・盡心》篇所謂「五霸，假之也」。由是可見安石乃於孟子論王霸之基礎上，進而直指本心，提出一己創獲，使王霸之別由治術之不同，轉成心術之差別，進而成爲義利之辨，對南宋理學家疏解《孟子》影響深遠。

在治國要術上，安石崇尚德治，而非專任刑罰。〈上仁宗皇帝言事書〉云：

臣故知當今在位多非其人，稍假借之權，而不一二以法束縛之，則放恣而無不爲。雖然，在位非其人，而恃法以爲治，自古及今，未有能治者也。

以爲專尚刑法以治國者，非善長治術者也。同篇並引賈誼所言「今或言德教之不如法令，胡不引商周秦漢以觀之」，明確指出德教甚於行法，古有明驗。〈禮樂論〉則講尚禮樂，以爲推行教化之本。篇云：

體天下之性而爲之禮，和天下之性而爲之樂，禮者，天下之中經；樂者，天下之中和，禮樂者先王所以養人之神，正人之氣而歸正性也。

其重視德教，講尚禮樂之主張，與儒家思想如出一轍。可與《尚書・康誥》云：「明德愼罰」，《禮記・禮器》云：「禮交動乎上，樂交應乎下，和之至也，…先王之制禮以節事，脩樂以道志」，《周禮・地官司徒》云：「以刑教中，則民不虣」，《論語・堯曰》云：「不教而殺謂之虐」，《論語・

八佾》云：「人而不仁如禮何？人而不仁如樂何？」，《孟子．盡心上》云：「教之不改而後誅之」前後輝映，印證其思想淵源仍在經典。至於荆公重視理財以富國利民之思想，如〈洪範傳〉云：「食貨，人之所以相生養也」，「凡正人之道，既富之然後善」，〈答曾公立書〉云：「政事所以理財，理財乃所謂義也」，則與《周禮》並無二致，荆公行免役法，亦出於《周官》（註一一），故《容齋隨筆》云：「安石所學所行實於此乎出」（註一二），使安石散文源於經學之說，更加確鑿不移。

文學思想及文章作法方面，安石亦有取資經術者。《孟子．盡心》篇云：

由堯舜至於湯，五百有餘歲，若禹皐陶，則見而知之，若湯，則聞而知之；由湯至於文王，五百有餘歲，若伊尹、萊朱則見而知之，若文王，則聞而知之；由文王至於孔子，五百有餘歲，若太公望、散宜生則見而知之，若孔子則聞而知之。由孔子而來至於今，五百餘歲，去聖人之世，若此其未遠也。近聖人之居，若此其甚也，然而無有乎爾，則亦無有乎爾。

前三節說明「由堯舜至於湯」、「由湯至於文王」、「由文王至於孔子」，道統一脈，聖賢相傳；末節「由孔子而來至於今」，憂慮處世紛雜，見知無人，使道統中絕，後世無傳。則孟子雖未明言道統，然其明已承繼聖學，與古聖先賢一脈相傳之意，實已啓發後世文統說之建立。日後凡言文統者，莫不推尊堯舜，表彰孔孟。荆公於〈夫子賢於堯舜〉篇云：

昔者，道發乎伏羲而成乎堯舜，繼而大之於禹湯文武。……夫伏羲既發之也，而其法未成，至於堯而後成焉。……孟子曰：「孔子集大成者」，蓋言集諸聖人之事，而大成萬世之法耳。此其所以賢於堯舜也。

不僅依循孟子以堯舜禹湯文武周公孔子一脈相承之說法，且援引《孟子．萬章》篇，尊崇孔子集大成之至聖地位。〈除左僕射謝表〉又云：「然孔氏以羈臣而興未喪之文，孟子以游士而承既沒之聖，異端雖作，精義尚存」，明以孟軻繼孔，文統相傳，則安石文統觀深受孟子影響，不言可喻。其次，孟子著書好為辯論，宋代俞文豹《吹劍錄》嘗云：

韓文公、荆公皆好孟子，皆好辯。張籍曰：「(韓愈)與人商論，不能下氣」，元城(劉安世)曰：「金陵不可動者，以能強辯」，(文豹)謂：「三人均之為好勝，孟子好以辭勝，文公好以氣勝，荆公好以私意勝。

按孟子於聖王不作，諸侯放恣，楊朱墨翟之言盈天下之際，為正人心，息邪說，距詖行，放淫辭，嘗有「豈好辯哉？予不得已也」之慨歎，故著書為文，多析理論議。荆公性不喜與人同，解經固然一反前儒之章句名數，自創新意；散文著作亦多推闡論辯，好為翻案文字。〈書洪範傳後〉云：「孟子曰：『予豈好辯哉？予不得已也』。夫予豈樂反古之所以敎，而重為此譊譊哉？其亦不得已焉者也」，則孟子之好辯，對荆公之文章寫作必有潛移默化之作用。

第二節　得力史記

司馬遷《史記》爲我國第一部紀傳體之通史，其文如長川大谷，探之不窮，攬之不竭，爲後世散文家爭相仿效學習之對象。荊公爲文，亦得力於《史記》。布局方面，史公作傳，多以敘事爲先，文末再以評論作結，如〈傷仲永〉先敘述仲永不學而泯然與眾人無異之事，繼以「王子曰『仲永之通悟，受之天也，……又不受之人，得爲眾人而已邪？」繫於文末，表達其扼腕感歎，筆法同於《史記》之「太史公曰」，有評論總結之作用。其次，史公敘事，或採夾敘夾議之手法，錯綜運用，姚祖恩《史記菁華錄》嘗謂之「開後人無限法門，韓歐四家多摹倣之」。介甫如〈叔父臨川王君墓誌銘〉云：

> 余叔父諱師錫，字某，少孤，則致孝於其母，……某不幸而蚤死也，則莫不爲之悲傷歎息。夫其所以事親能如此，雖有不至，其亦可以無憾矣。自庠序聘舉之法壞，而國論不及乎閭門之隱。士之務本者，常詘於浮華淺薄之材，故余叔父之卒，年三十七，數以進士試於有司，而猶不能祿賜以寬一日之養焉；而世之論士也，以苟難爲賢，而余叔父之孝，又未有以過古之中制也，以故世之稱其行者，亦少焉。…自君子之在勢者觀之，使爲善者，不得職，而無以成名，則中材何以勉焉？

文中數以敘事議論，間雜使用，與《史記》〈管晏列傳〉、〈屈原列傳〉等如出一轍；荊公甚以議論多於敘事之筆，諷誚庠序聘舉之法，未能及於務本之閭門隱士，使有德而無官職之賢良，名沒而不彰。此一行文方式，茅坤評曰：「王爲甚多鑱思刻畫處，然非史漢法矣」（註一三），可見與《史記》同中有異，表現荊公獨特之風格。《史記》又有本敘一人，而以性質相同或類似，更帶敘其他有關人物者，如〈廉頗藺相如列傳〉附趙奢、趙括及李牧諸人，〈孟子荀卿列傳〉帶敘凡十餘人，可收類聚群分，避免人各一傳之繁瑣。安石如〈處士征君墓表〉，本爲征君立傳，而以杜、徐二人同爲淮南善士，亦附而傳之，此一作法顯然來自《史記》之啓發。此外，荆公又有句式、語意肖似《史記》者，如〈虞部郎中贈衛尉卿李公神道碑〉云：

> 嘉祐八年六月某甲子，制曰：「朕初即位，大賚群臣，陞朝者及其父母。具官某，父具官某，率德蹈義，不躬榮祿，能教厥子，並爲才臣。加賜名命，序諸卿位，所以勸天下之爲人父者，豈特以慰孝子之心哉？可特贈衛尉卿。」翌日某甲子，中書下其書告第，又副其書賜寬等，以待墓焚。

與《史記．三王世家》云：

> 大司馬臣去病昧死再拜上疏皇帝陛下：「陛下過聽使臣去病待罪行間，宜專邊塞之思慮，暴骸中野，無以報，乃敢惟他議以干用事者。誠見陛下憂勞天下，哀憐百姓，…皇子賴天能勝衣趨拜，至今無號位師傅官，陛下恭讓不恤，群臣私望不敢越職而言。臣竊不勝犬馬心，昧死願陛下詔有司，因盛夏吉時定皇子位。唯陛下幸察，臣去病昧死再拜，以聞皇帝陛下。」三月乙亥，御史臣光守尚書令奏未央宮，制曰：「下御史」。六年三月戊申朔乙亥，御史臣光守尚書令、丞非，下御史書到。

前文爲皇帝下詔，賜贈李公衛尉卿之名號，後文乃大臣上疏，請爲皇子定位；且〈神道碑〉云：「翌日某甲子，中書下其書」，〈三王世家〉云：「六年三月戊甲朔乙亥，……下御史書到」，語氣、句式均有類似之處，此茅坤所以稱「仿《史記・三王世家》法」也（註一四）。又如〈建安章君墓誌銘〉云：

章氏，少則卓越自放不羈，不肯求選舉，然有高節大度，過人之材，其族人郇公爲宰相，欲奏而官之，非其好，不就也。……將相大人豪傑之士，以至閭巷庸人小子，皆與之交際，未嘗有所忤，亦莫不得其懽心，……故其所稱述，多所謂天子君子，若君者似之矣。

與《史記・淮南衡山列傳》言淮南王安「爲人好讀書，不喜弋獵狗馬馳騁，亦欲以行陰德拊循百姓，流譽天下。時時怨望厲王死，時欲畔逆，未有因也」，及韓退之〈鄭君墓誌銘〉云：「與之遊者，自少及老，未嘗見其色，有若憂歎者，豈若列禦寇、莊周等所謂近於道者」，在語意、句式上，皆有幾分雷同，故張廉卿曰：「意格從史遷〈淮南王安傳〉首，及韓退之〈鄭群墓銘〉中融化而出」（註一五），是知荊公散文，尤其墓誌文，確曾甄採史公之長，又能渾融不露也。

第三節　取法揚雄

安石之前，宋咸註揚子《法言》序云：「自鳳德云衰，諸子繼作，亞聖之謨，獨揚孟而已」，司馬溫公註揚雄《法言》序亦云：「潛心以求道之極致，後之立言者，莫能加也」，顯見宋初學者對揚雄之重視。安石亦然，除譽子雲爲孟軻以來僅有（註一六），詩集中詠歎揚雄者，則有六首之多。〈揚雄〉詩之三云：「子雲平生人不知，知者乃獨稱其辭，今尊子雲者皆是，得子雲心亦無幾」，自比爲子雲之知音，〈揚雄〉詩之一又云：

> 孔孟如日月，委蛇在蒼旻，光明所照耀，萬物成冬春。揚子出其後，仰攀忘賤貧，衣冠眇塵土，文字爛星辰，歲晚天祿閣，強顏爲劇秦。行藏意終鄰，壤壤外逐物，紛紛輕用身，往者或可返，吾將與斯人。

除仰慕子雲之安貧樂道，潔操懿行，並尊崇其於闡揚儒學、文字通訓上之卓越成就，「吾將與斯人」一語，尤流露出荊公步武之意。

曾鞏嘗曰：「安石文學行義，不減揚雄」（註一七），稱讚荊公之節行、文學，可與揚雄並駕齊驅。按子雲不汲汲於富貴，不戚戚於貧賤，安石曾爲文加以讚賞，謂其「用心於內，不求於外，不修廉隅，以徼名當世」（註一八），並以摯友王深父之節行—「不爲小廉曲謹，以投衆人耳目，而趣舍必度於仁義」，謂「於爲雄幾可以無悔」（註一九），實則荊公志堅行卓，超越富貴之外，無一毫利欲之泊，少壯至老死如一（註二〇），更足與揚雄前後輝映。荊公有〈答李資深書〉云：

> 古之君子辭受取舍之方不一，彼皆內得於己，有以待物，而非有待乎物者也。非有待乎物，故其跡時若可疑，有以待物，故其心未嘗有悔也。若是者，豈以夫世之毀譽者概其心哉？若某者不足以望此，然私有志焉。

自言前代君子之楷式，對其蘊蓄內得於己，有以待物，不以世之毀譽縈其心之懷抱，有深遠之影響。則荆公受揚雄之啓發，潔白其操，進而高尚其文者，不難知也。荆公又有〈答曾子固書〉云：

揚雄雖爲不好非聖人之書，然於墨晏鄒莊申韓，亦何所不讀，彼致其知而後讀，以有所去取，故異學不能亂也。惟其不能亂，故能有所去取者，所以明吾道而已。

推崇揚雄博學而知所去取，以弘揚儒道爲志業，故荆公論道時，輒引揚雄之說，以發揮己見。如〈答韓求仁書〉云：

揚子曰：「道以道之，德以得之，仁以人之，義以宜之，禮以體之，天也；合則渾，離則散，一人而兼統四體者，其身全乎？」

以揚雄言道德仁義之合，區別老子言道德仁義之異。〈祿隱〉篇云：「揚子曰：『塗雖曲而通諸夏則由諸，川雖曲而通諸海則由諸』」藉子雲所言闡述事雖曲而通諸道之理。〈答王深甫書〉云：

揚子曰：「先自治而後治人之謂大器」，揚子所謂大器者，蓋孟子之謂大人也。……孟子沒，能言大人而不放於老莊者，揚子而已。

採揚雄「大器」說，補充孟子「大人」之義涵，以能修己安人，體現儒道者爲「大人」；並謂孟軻以來，以揚雄闡述此義最爲的當。此外，荆公於晚年雖改持性善理論，然其原本主張之性善惡混說，則較近於揚雄。〈性情〉篇云：

蓋君子養性之善，故情亦善；小人養性之惡，故情亦惡，……揚子曰：「人之性，善惡混」，是知性可以爲惡也。

安石援用《法言・修身》篇云：「人之性也，善惡混」，謂性可以爲善，亦可以爲惡；「君子養性之善，小人養性之惡」說，則與孟子曰「養其大體爲大人，養其小體爲小人」、揚子曰：「修其善則爲善人，修其惡則爲惡人」精神一貫。是知安石論道、性說，確與子雲有契合會通之處；而子固所以謂安石文學不減揚雄者，殆指安石文章昭明聖道，恢宏儒學，不遺餘力，其貢獻實不亞於子雲矣！

劉熙載嘗云「介甫文兼似荀揚，荀好爲其矯，揚好爲其難」（註二一），吳北江亦謂安石〈書義序〉「句法本之《法言》」（註二二），可見安石散文確曾有得於子雲。蓋子雲精通小學，所著《方言》，乃研究漢代古音之重要典籍，《太玄》則模仿《易經》，內容深奧，文辭艱難，子雲作〈解嘲〉嘗云：「作《太玄》五千文，枝葉扶疏，獨說十餘萬言，深者入黃泉，高者出蒼天，大者含元氣，纖者入無倫」，爲精思覃研之作，而安石部分解析經義，論說學理之文，如〈易泛論〉、〈易象論解〉、〈答韓求仁書〉等，亦旁徵博引，辨析名理，確有精深不易讀者；其他如揚雄《法言》少用奇字，安石文章古字亦不多用（註二三），則《藝概》所言，當指安石部分作品，而非其共通之特色也。

第四節　追步韓愈

曾鞏〈與王介甫第一書〉載歐陽修之言云：「孟韓文雖高，不必似之也，取其自然耳」，曾國藩

〈復陳右銘書〉亦云：「自唐以後，善學韓公者莫如王介甫氏」，則介甫散文取法於韓愈，已爲篤論。文體方面，〈古文約選序例〉云：

退之、永叔、介甫，俱以誌銘擅長，但序事之文，義法備於左史，……介甫變退之壁壘，而陰用其步伐。

則安石誌銘文嘗學韓公，於此可見。按退之墓誌文，往往相題設施，因人而異，有靈活變化，不囿陳規之特點，而介甫之碑誌文，殆一百餘篇，其結構無一同者，或如長江大河，或如層巒疊嶂，或拓芥子爲須彌，或籠東海於袖石，無體不備，無美不搜（註二四），梁啓超嘗譽其「昌黎而外，一人而已」（註二五）。至於贈序文，號爲韓公一絕，而林紓謂「王得其骨」，有〈韓文研究法〉云：

序不是論，卻句句是論，不惟造句宜斂，即製局亦宜變。贈送序是昌黎絕技，歐王二家，王得其骨，歐得其神，歸震川亦可謂能變化矣。然安能如昌黎之飛行絕跡邪？

殆指荊公贈序文於間架之建構，起結有力，深得韓文三昧。荊公如〈靈谷詩序〉云：

吾州之東南有靈谷者，江南之名山也。龍蛇之神，虎豹翬翟之文章，楩柟豫章竹箭之材，皆自山出，而神林鬼冢魑魅之穴，與夫仙人釋子恢譎之觀，咸附託焉。至其淑靈和清之氣，盤礴委積於天地之間，萬物之所不能得者，乃屬之於人，而處士君實生其址，……惜乎其老矣，不得與夫虎豹翬翟之文章，楩柟豫章竹箭之材，俱出而爲用於天下，……雖然，觀其鑱刻萬物而接之以藻繢，非夫詩人之巧者，亦孰能至於此？

先指出靈谷之地理位置，與當地人文、自然之特產，並由神物靈氣之薈萃，烘托出全文之聚光點——「處士君實生其址」，其起承有序之布局，若與昌黎〈送廖道士序〉相較：

> 五岳於中州，衡山最遠，南方之山巍巍然高而大者以百數，獨衡爲宗，最遠而獨爲宗，其神必靈。衡之南八九百里，地益高，山益峻，水清而益駛，其最高而橫絕南北者，嶺郴之爲州在嶺之上，測其高下得三之二焉。中州清淑之氣，於是焉窮，氣之所窮，盛而不過，必蜿蟺扶輿，磅礴而鬱積，…其水土之所生，神氣之所感，白金水銀，丹砂石英，鍾乳橘柚之包，竹箭之美，千尋之名材，不能獨當也，意必有魁奇忠信材德之民生其間，而吾又未見也。……
>
> 廖師郴民而學於衡山，氣專而容寂，多藝而善遊，豈吾所謂魁奇而迷溺者邪？

昌黎先言衡山、郴州之所在，次寫山中清淑磅礴鬱積之雲氣，與奇異物產，而凝聚焦點於「魁奇忠信材德之民生其間」，則荊公於布局、用字方面皆祖述韓愈，已不待言；且二序皆於敘事中有議論，結言遒勁有力；而荊公起筆即照應文題，昌黎則至文末，始揭作意，其文之變化奇譎，猶甚荊公，此或即畏廬所謂「王得其骨」，「然安能如昌黎之飛行絕跡邪？」

布局方面，韓文善長以相對兩意起首，猶如二柱分立之雙扇作法（註二六），〈五箴〉之一云：「余少之時，將求多能，蚤夜以孜孜；余今之時，既飽而嬉，蚤夜以無爲。嗚呼！余乎其無知乎！君子之棄而小人之歸乎？」之四云：「無善而好，不觀其道；無悖而惡，不詳其故。前之所好，今見其尤，從也爲比，捨也爲讎；前之所惡，今見其臧，從也爲愧，捨也爲狂」，均由正反兩面分別立論，平行發展，荆公之作如〈原教〉篇云：

善教者藏其用，民化上而不知所以教之之源；不善教者反此，民知所以教之之源，而不誠化上之意。善教者之爲教也，致吾義忠，……此謂化上而不知所以教之之源也；不善教者之爲教也，不此之務，……此謂民知所以教之之源，而不誠化上之意也。

亦猶二水齊注，奔流入海，故茅坤評曰：「大類韓文」。其次，韓文以轉折變化多取勝，〈獲麟解〉一篇，吳楚材評曰「文僅一百八十餘字，凡五轉，如游龍，如轆轤，變化不窮，眞奇文也」（註二七），〈送董邵南序〉則朱宗洛謂之「想其中用筆之妙，其有煙雲繚繞之勝。凡文之短者，越要曲折。蓋曲中有情，而意味倍覺深長也」（註二八），皆以多用轉折頓宕，開闔變化，爲韓文之特色。而荆公之作，如〈原過〉篇轉折變化無窮，〈讀孟嘗君傳〉全篇數轉，每轉益妙，宋代李塗《文章精義》因論曰「文章有短而轉摺多氣長者，韓退之〈送董邵南序〉、王介甫〈讀孟嘗君傳〉是也」。至如〈泰州海陵縣主簿許君墓誌銘〉單提許君之大節，突破墓誌文窮於溢美贊頌之格局；層層遞進，先揚後抑，使文勢跌宕變化，故吳北江有「縱蕩開闔，用筆有龍跳虎臥之勢，學韓之文，此爲極則」（註二九）之謂也。

風格方面，介甫之峭折健勁，與退之獨近。如〈上凌屯田書〉首段突起，以俞跗專治狼疾爲喻，次段再逆轉回作者爲子孫之心不得申，猶狼疾之不治。張廉卿評曰「起甚奇崛，擬韓退之，稍覺峭薄」（註三〇）；〈度支副使廳壁題名記〉，吳江北亦曰「廉悍駿邁，從韓公來」（註三一）；陳衍亦云：「荆公除〈萬言書〉外，各雜文皆學韓，且專學其逆折拗勁處」（註三二），是知，荆公之文已登昌黎之堂，不僅文體、布局、用語，善學昌黎；拗折勁健之風格，亦來自韓文也。

第五節　旁涉釋老

荆公思想，兼融各家，其以爲道之不一久矣，聖人之大體，分裂而爲八九，老莊釋三者皆有足以稱道之處。〈漣水軍淳化院經藏記〉云：

蓋有見於無思無爲，退藏於密，寂然不動者，中國之老莊，西域之佛也。既以此爲教於天下而傳後世，故爲其徒者，多寬平而不忮，質靜而無求，不忮似仁，無求似義；當士之夸漫盜奪，有己而無物者，多於世，則超然高蹈，其爲有似乎吾之仁義者，豈非所謂賢於彼，而可與言者邪？

肯定釋老無思無欲，退藏於密，寂然不動之內聖工夫，並以爲老莊釋家之徒寬平不忮，質靜無求之特質，更甚於一般欺世盜名之儒士。雖然如此，安石仍以儒家思想爲宗主，〈禮樂論〉嘗比較儒釋道三家，云：

天下之言養生修性者，歸於浮屠、老子而已。浮屠、老子之說行，而天下爲禮樂者，獨以順流俗而已。夫使天下之人，驅禮樂之文以順流俗爲事，欲成治其國家者，此梁晉之君所以取敗之禍也。然而世非知之也者，何耶？特禮樂之意，大而難知，老子之言，近而易輕；聖人之道，得諸己，從容人事之間而不離其類焉；浮屠直空虛窮苦，絕山林之間，然後足以善其身而已。由是觀之，聖人之與釋老，其遠近難易可知也。

言釋老二家專意於養生修性，足以善其身；與聖人之道修己而後安人大相逕庭，彼既無益於教化流俗，成治國家，則與聖人之遠近難易，不繹可得。準此精神，荆公對釋老思想採取有限度之接受。如言道之本體，自然無爲，本諸老子，〈老子〉篇云：

> 道有本有末。本者，萬物之所以生也；末者，萬物之所以成也。本者，出之自然，故不假乎人之力，而萬物以生也；末者，涉乎形器，故待人力而後萬物以成也。夫其不假人之力，而萬物以生，則是聖人可以無言也，無爲也；至乎有待於人力，而萬物以成，則是聖人之所以不能無言也，無爲也。故昔聖人之在上，而以萬物爲己任者，必制四術焉。

然而道之涉乎形器者，荆公則以爲必待人力，由聖人施行禮樂刑政四術，才能化成萬物，若老子之崇尙無言無爲，則不可行。故同篇進而批評老子，云：

> 今知無之爲車用，無之爲天下用，然不知所以爲用也。故無之所以爲車用者，以有轂輻也；無之所以爲天下用者，以有禮樂刑政也。如其廢轂輻於車，棄禮樂刑政於天下，而坐求其無之爲用也，則亦近於愚矣。

安石一針見血地指出無之爲車用，在有轂輻，故若棄禮樂刑政，唯道之稱，而欲求治天下，乃不察於理，務高之過，近於愚矣。是知安石以崇尚致用之觀點，以儒家思想為根柢，而旁採老子之言。此外，安石〈洪範傳〉亦有融通道家思想之處，〈傳〉云：

道立於兩，成於三，變於五，而天地之數具，其為十也，耦之而已。

於此，安石明顯化用《老子》第四十二章「道生一，一生二，二生三，三生萬物」之成說，將《老子》「三生萬物」，改為「成於三，變於五」，以言五行化生萬物，變化無窮之狀態。至於荊公以「生數」說明精、神、魂、魄者，如〈洪範傳〉云：

天一生水，其於物為精；精者，一之所生也。地二生火，其於物為神，神者有精而後從之者也。天三生木，其於物為魂，魂從神者也。地四生金，其於物為魄，魄者有魂而後從之者也。天五生土，其於物為意，精、神、魂、魄具而後有意。

又與安石注《老子》曰「一者，精也，魂魄既具，則精生，精生則神從之」（註三三），其意相合。

荊公對莊周之言，亦善推其意，給予適當之評價。其論莊子之用心，曰：「以為仁義禮樂皆不足以正之，故同是非，齊彼我，一利害」，「此其所以矯天下之弊者也」（註三四）；莊子既有意矯天下，故安石譽之「亦二聖人（伯夷、柳下惠）之徒矣」（註三五）；莊子語道德之次序，有云：

五變而形名可舉，九變而賞罰可言，語道而非其序，安取道？

荊公亦以為善乎其言，雖聖人亦不能廢（註三六）。至若莊生言性命，安石謂之「其通性命之分，而不以死生禍福累其心，此其近聖人也」（註三七），可見安石論聖人、言道德性命，亦兼及莊生之說，給予正面之肯定；惟以莊生矯之太過，隱居放言，故輒被比爲邪說，得罪於聖人之徒，加以其著書無益於治亂，故荊公不免慨歎曰：「陷溺於周之說，則其爲亂大矣」（註三八），「莊墨皆學聖人，而失其源者也」（註三九），是知安石爲文並非全面採摭莊說也。

安石於思想上，亦有得於釋家。〈進二經劄子〉嘗自言：「臣蒙恩免於事累，因得以疾病之餘日，覃思內典。切觀金剛般若維摩詰所說經，……多失其旨，……輒以己見，爲之訓釋」，可見其晚年用力於佛典之勤。其〈答蔣穎叔書〉云：

> 所謂性者，若四大是也。所謂無性者，若如來藏是也。雖無性而非斷絕，……惟無性，故能變；若有性，則火不可以爲水，水不可以爲地，地不可以爲風矣。長來短對，動來靜對，此但令人勿著爾。若了其語意，則雖不著二邊，而著中邊，此亦是著。

所謂「無性」即是「空」，乃佛學空宗「空有不著」之「中道」是也，爲萬物存在之本質，如龍樹《中論》所云：「以有空意故，一切法得成」。是知荊公論性說，兼及佛家之「無性」，其「中」之觀念，可與儒家思想相通。此外，安石於〈原性篇〉評孟荀揚韓四子，對於韓子以五常爲性，孟荀以有情然後有善惡，均非難之；揚子性善惡混說則以爲近似；且總評之，以爲韓孟荀「諸子之所言，皆吾所謂情也，習也，非性也」，揚子之言「猶未出乎以習而言性也」；其說與較早之穎曇，著〈性辯〉，謂「今古聖賢言性，只得情也」論點相同。至如安石〈性情〉篇性可以爲善，亦可以爲惡之說，蔣義斌則以爲受天台宗「佛性具惡」思想之影響（註四〇），則安石之性說，融合儒釋，故有獨到之處也。

結語

綜上所述，荊公散文淵源，可分四方面言之：哲學思想方面：安石知命、性善、聖人、致用、時變等觀點，主要導源於《易傳》、《孟子》，性論且曾受揚雄、釋家思想之啓發，論道之本體、發揮〈洪範〉大義則有與道家思想契合之處。政治思想方面：荊公法先王、別王霸、尙德治、富國利民之主張，皆推本於經籍，而並非一味蹈襲。文學思想方面：文統說之建立，始於孟子，光大於韓愈，荊公信守不渝。文章作法方面：內容之闡揚儒道、情意高潔，與揚雄在伯仲之間；文體如墓誌文、贈序文，皆韓公所擅長，而介甫得其神髓；筆法如好為論辯，係受孟子影響；以議論行於敘事之文，乃學自史公，而鑱思刻劃處，史漢不及；文多轉折變化，則仿效昌黎，而規模稍狹。此外，介甫之文，修言法制，因時制宜，而文辭奇峭，推闡入深，劉師培以為如法家之文（註四一），序詩書周禮義諸作，方苞以為自班孟堅演出（註四二），〈禮樂論〉茅坤以為行文處類荀卿者（註四三），益見荊公散文兼採各家，又能融化痕跡，詞同己出；而其為文尤得力於六藝、論孟，梁任公因謂之「學人之文」，非七子所能望（註四四）也。

【附註】

註　一　見《蘇東坡全集》外制集上卷〈王安石贈太傅〉。

註　二　見《古文辭通義》卷六引劉孟塗〈與阮芸臺論文書〉。

註　三　見《臨川先生文集．答徐絳書》卷七十三。

註　四　見同前集〈夫子賢於堯舜〉卷六十七。

註　五　見同前集〈答龔深父書〉卷七十二。

註　六　見《四庫全書總目提要》卷一二二子部〈湛淵靜語〉提要云：「蓋唐以前孟子皆入儒家，至宋乃尊爲經。元豐末，遂追封鄒國公，建廟鄒縣亦安石所爲。」

註　七　見《古文範》下編二〈周禮義序〉吳北江纂。

註　八　見同前集下編二〈詩義序〉吳闓生評。

註　九　見《王荊公文鈔》卷七〈桂州新城記〉茅坤評選。

註一〇　見《王荊公年譜考略》卷六。

註一一　見《臨川先生文集．上五事劄子》卷四十一。

註一二　見《容齋隨筆》卷十六〈周禮非周公書〉後。

註一三　見《王荊公文鈔》卷十五〈臨川王君墓誌銘〉。

註一四　見同前文鈔卷十一〈虞部郎中贈衛尉卿李公神道碑〉。

註一五　見《古文辭類纂》卷四十八〈王介甫建安章君墓誌銘〉後。

註一六　見《臨川先生文集·答龔深父書》云：「揚雄者，自孟軻以來，未有及之者，但後世大夫多不能深考之爾」，卷七十二。

註一七　見《宋史》卷三一九〈曾鞏列傳〉。

註一八　見《臨川先生文集·答龔深父書》卷七十二。

註一九　同註一八。

註二〇　見吳澄《臨川王文公集·序》，附載於《王荊公年譜考略》卷首之一。

註二一　見《藝概》卷一。

註二二　見《古文範》下編二〈書義序〉。

註二三　宋代李孟傳註《方言》序云：「大抵子雲精於小學，且多見先秦古書，故《方言》多識奇字，《太元》多有奇語，然其用之，亦各有宜。子雲諸賦多古字，至《法言》、〈劇秦〉所用，則無幾！……本朝歐文忠、王荊公…諸宗工文章，照映今古，亦不多用古字。……若有意用之，或返累正氣也耶？」

註二四　見梁啓超著《王荊公》第廿一章〈荊公之文學〉上。

註二五　同註二四。

註二六　日人兒島獻吉郎於《中國文學通論》上卷第十二章〈章法上〉云：「雙關法，一名雙扇格，是韓愈底得意的筆法，猶如門之兩扉，左扇右扇，交互偶進。」

註二七　見吳楚材評註《古文觀止》卷七〈獲麟解〉。

註二八　見朱宗洛《古文一隅》。

註二九　見吳闓生纂《古文範》下編二〈泰州海陵縣主簿許君墓誌銘〉。

註三〇　見《古文辭類纂》卷三十〈王介甫上凌屯田書〉後。

註三一　見《古文範》下編二〈度支副使廳壁題名記〉。

註三二　見陳柱《中國散文史．古文極盛時代之散文》第四編，引《石遺室論文》云。

註三三　見《老子崇寧五注》〈載營魄〉章第十。

註三四　見《臨川先生文集．莊周上》卷六十八。

註三五　同註三四。

註三六　同前集〈九變而賞罰可言〉卷六十七。

註三七　同前集〈答陳梠書〉卷七十七。

註三八　同註三七。

註三九　同註三七。

註四〇　見蔣義斌著《宋代儒釋調和論及排佛論之演進—王安石之融通儒釋及程朱學派之排佛反王》第二章〈王安石之融通儒釋〉。

註四一　見劉師培《劉申叔先生遺書・論文雜記》。
註四二　見《古文約選序例》。
註四三　見《王荊公文鈔》第九卷〈禮樂論〉。
註四四　見《王荊公》第二十一章〈荊公之文學〉上。

第六章　王荊公之文學觀

荊公人品事業，超邁群倫，本無以文章名世之意，而審晰其文辭名列八家，垂聲後代者，知其必有卓然自立之文學觀，以爲創作之泉源，批評之準據。是以探幽索隱，分本章爲三節，以見其散文奧妙，其來有自也。

第一節　致用之文學觀

荊公以憫時病俗之心，發爲文章，輒見其關心治亂之思想。舉凡文之定義、文貫乎道、文宗經術、文務有補於世、文統選列等，均歸本於致用之文學觀點。

一、文之定義

王氏〈與祖擇之書〉云：「治教政令，聖人之所謂文也。書之策，引而被之天下之民一也」，以述寫治教政令之內容，稱之爲「文」，其目的在於垂諸簡策，潤澤蒼生。〈原教〉篇又云：「法令誥戒，文也」，更爲明確界定「文」之範疇，可見安石基於致用觀點，視文章爲政教之工具。介甫除以記載治教政令之內容，可稱爲文；其餘則名之曰「辭」。如〈上人書〉云：

嘗謂文者，禮教治政云爾。其書諸策而傳之人，大體歸然而已。而曰：『言之不文，行之不遠』云者，徒謂辭之不可以已也。非聖人作文之本意也。……所謂辭者，猶器之有刻鏤繪畫也。

則徒飾文采，不合實用目的之辭語，皆不能謂之爲「文」。甚而友朋之間，抒情達意，無關風教之作品，亦被安石摒斥於「文」外，如〈與祖擇之書〉云：

聖人之所謂文者，私有意焉，書之策，則未也。間或悱然動於事，而出於詞，以警戒其躬，若施於友朋，褊迫陋庳，非敢謂之文也。

自謙雖有意爲「文」，而力未逮也。安石對「文」之定義如是謹嚴，其意無非在强調文學對社會之實用價值。

即使古文家韓柳之部分作品，亦被安石視爲「辭」，以爲未能盡符作文之本意。〈上人書〉云：「韓子嘗語人以文矣，曰云云，子厚亦曰云云。疑二子者，徒語人以其辭耳，作文之本意不如是其已也」，按荆公所以如是言者，蓋以昌黎亦重文辭，如昌黎〈答陳生書〉云：「愈之志在古道，又甚好其言辭」，〈題歐陽生哀辭後〉亦云：「愈之爲文，豈獨取其句讀不類於今者邪？思古人而不得見，學古道則欲兼通其辭」，甚至為注重文辭而好奇愛異，如〈送窮文〉云：「其次曰文窮，不專一能，怪怪奇奇，不可時施，祇以自嬉」，可見昌黎自認所作有怪奇一類。安石對昌黎之樹奇立異，頗不以為然，有〈韓子〉詩云：「力去陳言誇末俗，可憐無補費精神」為證。此蓋安石所以稱退之「徒語人以其辭耳」。至於為昌黎羽翼之柳宗元，亦頗重視辭采之功用，如〈楊評事文集後序〉云：「雖其言鄙野足以備於用，然而闕其文采，固不足以竦動時聽，夸示後學」，〈與楊京兆憑書〉亦强調為文應取法莊周之博、屈原之哀、孟軻之奧、馬遷之壯、相如之富、賈誼之明，其論文章作法，已傾向有意為文，自不符合荊公「文」之定義。

二、文貫乎道

「道」之涵義，依荊公之見，可分「天道」、「人道」：天道本之自然，不假人力，人道指仁義諸德，為萬物化成之理。荊公雖論性道，尤强調有裨治教之作用（註二）。故〈取材〉篇云：

文中子曰：「文乎文乎，苟作云乎哉？必也貫乎道。」……策進士者若曰：「邦家之大計何先？治人之要務何急？政教之利害何大？安邊之計策何出？」使之以時務之所宜言之，不宜以章句聲病累其心。……故學者不習無用之言，一心治道，則習貫而入矣。

言「道」之內涵關乎「時務」，指有關邦家大計、治人要務、政教利害、安邊計策等治國之術。〈與祖擇之書〉又闡論曰：

聖人之於道也，蓋心得之，作而爲治教政令也。則有本末先後，權勢制義而一之於極；其書之策也，則道其然而已矣。

明確指出聖人之道之具體表現，即爲法令制度，禮樂政教；是以所謂「文貫乎道」者，即指文章能貫通安危治亂，國計民生之至理，以施之朝廷，用之牧民。但以近世學者，只圖祿利，不謀儒道，古道之衰廢亦已久矣。故荊公〈答孫長倩書〉云：

古之道廢踣久矣……天下日更薄惡官學者不謀道，主祿利而已。嘗記一人焉……自言少時迷學古文，後乃寤棄不學，學治今時文章。夫古文何傷，直與世少合耳，尚不肯學，而謂學者迷。

嘆學者信僞迷眞，棄有儒道思想之古文不學，唯治迎合時尚，徼取功名之時文，是以其勸慰胡叔才「賢者道弸於中，而襮之以藝，雖無祿與位，其榮者固在也」（註二），應務求文以貫道，莫以祿位爲念。〈上邵學士書〉中，則讚嘆樂安公、邵學士二人之著作，「非夫誠發乎文，文貫乎道，仁思義色，表裡相濟者，其孰能至於此哉？」〈答黎檢正書〉中，亦稱誦黎君「士之所尚者志，志之所貴者道，苟不合乎聖人，則皆不足爲道。唯天下之英材，爲可以與此」，甚至謂其「蓋自秦漢以來，所謂能文者，不過如此」，可見對於文能貫道之作品，荊公均給予極高之評價。

至於道與文之輕重次序，安石亦有論述。如〈答吳孝宗書〉云：「子經誠欲以文辭高世，則無爲見問矣；誠欲以明道，則所欲爲子經道者，非可以一言而盡也」，則安石不欲以文辭高世之意，至爲明顯。其責友如此，對文吏之期許亦然。〈取材〉篇云：

> 所謂文吏者，不徒苟尚文辭而已；必也通古文，習禮法，天文人事，政教更張，然後施之職事，則以詳平政體，有大議論，使以古今參之是也。

由是可知先道後文乃荊公論文之次弟。文辭所以存而不廢，正以其具有輔助聖道彰顯之作用。〈先大夫集序〉云：「然諷詠情性，其亦有以助於道者，不忍棄去也」，按荊公困心衡慮，一意以天下國家爲念，發爲重道輕文之主張，亦理所必然也。

文道合論以外，荊公並論及「志」與二者之關係。〈上張太博書〉云：「夫文者，言乎志者也。」〈答黎檢正書〉亦云：「士之所尚者志，志之所貴者道，苟不合乎聖人，則皆不足以爲道」，以爲作文在表達情志，而情志之流露，貴能體現聖人之道。〈先大夫集序〉又云：

> 君子於學，其志未始不欲張而行之以致君，下膏澤於無窮，唯其志之大，故或不位於朝；不位於朝而執不足以自効，則思慕古之人而作爲文辭，亦不失其所志也。

謂君子志在輔賢君，澤黎民，搦筆操觚，亦應寫此一胸襟懷抱。可見荊公「文以言志」之說，仍一本其「文以貫道」之精神，以濟世匡時爲依歸。同〈序〉又云：

> 先大夫少而博學，及強年有仕進之望，其志欲有以爲而遽沒，其於文所不暇也。一日，諸子閱橐中，乃得舊歌詩百餘篇，雖此不足盡識其志：不忍棄去也。

其所以歎惜先人遺留詩篇，不足以盡識其志者，正以其無關風教，不切實用，則荊公「文以言志」說，旨同「文以貫道」，均導源於其致用之文學觀。

三、文宗經術

安石深諳通經為明道之本。〈答姚闢書〉嘗云：「守經而不苟世，其於道也幾」，〈答吳孝宗書〉亦云：「若欲以明道，則離聖人之經，皆不足以有明也」，蓋以道既沿聖垂文，而聖人已往，欲闡發道心惟微者，唯經典是賴矣。〈答姚闢書〉又云：「夫聖人之術，修其身，治天下國家，在於安危治亂，不在章句名數焉」，謂聖人立言垂範，旨在移易風俗，助流政教，則通經之目的，在於致用。安石所謂「聖人」，殆指二帝三王、孔孟而言，如〈與祖擇之書〉云：

二帝三王，引而被之天下之民而善者也；孔子、孟子，書之策而善者也；皆聖人也。聖人者，以福澤惠及天下庶民，其書言經，流譽於千載。是以如《周官》，「其法可施於後世」（註三），《詩》「上通乎道德，下止乎禮義，放其言之文，君子以興焉」（註四），《書》「世主莫知其用」（註五），安石皆以有助於闡弘大道，勸俗濟世之基點，為之訓義垂文。且「徵聖立言，則文其庶矣」（註六），故下筆行文，亦輒見安石引經附聖，加強敘事論理之說服力；對於當世「學者不根乎經籍，從政者罕議教化，故文章柔靡，風俗巧偽」（註七）者，安石更譏之為「根柢蔑如也」，則可知荊公文宗經術，以明道致用之心也。

四、文務有補於世

安石論文，以濟世致用爲本，如〈上人書〉云：

> 且所謂文者，務爲有補於世而已矣；所謂辭者，猶器之有刻鏤繪畫也。誠使巧且華，不必適用；誠使適用，亦不必巧且華，要之以適用爲本，以刻鏤繪畫爲之容而已。

「文」之定義既爲「禮教治政」，則「文」之目的自不外乎「有補於世」。至於文章應適何用？〈上人書〉又云：

> 孟子曰：「君子欲其自得之也，自得之則居之安，居之安則資之深，資之深則取諸左右逢其原。」孟子之云爾，非直施於文而已，然亦可託以爲作文之本意。

安石引《孟子．離婁》篇所言，以爲君子之學，倘能深造之以道，默識心通，如其性之所自有，則能居安；內蘊所資藉者既深，則日用之間必能左右逢源，優游自得。可見爲學應「志於道」，作文亦應「闡明聖道」。〈原教〉篇亦云：

> 或曰：「法令誥戒，不足以爲教乎？」曰：「法令誥戒，文也；吾云爾者，本也。失其本而求之文，吾不知其可也。

其所謂「本」，指教化。是知作文之本意，在闡明聖道，弘揚教化，此即安石「文以致用」之眞諦。

五、「文統」之選列

「文統」之名，形諸文字，始見於茅坤〈與王敬所書〉。云：

嘗就世之所稱正統者論之，六經者，譬則唐、虞、三王也；西京而下，韓昌黎輩，譬則由漢而唐、而宋，間及西蜀、東晉是也。

係以古文爲文章之正統。然其觀念之具體化則早在唐世。唐代古文家如韓愈、皮日休等，揭櫫以文明道，文道合一之主張，故「文統」實即「道統」，謂文章必須闡揚儒家聖人之道，有益世教風化，才可列入正統行列。宋初倡言「文統」，首見於柳開，以孔、孟、揚、韓之道一脈相傳，並入文統。嘗有人問仲塗，退之、子厚優劣，答曰：「文近而道不同」，可見柳開「文統」之選列，其標準在於「道」。嗣後有石介，以周、孔、孟、揚、文中子、退之諸人，列入文統；〈尊韓〉篇且以孔子以上爲聖人，乃成道者；孔子以下爲賢人，爲守道、衛道者，並冠韓愈居五賢之首，不僅意味其以「道」爲文統取捨標準，亦反映宋代古文家尊韓之時代意義。又有穆修作〈唐柳先生集後序〉，則以韓柳並稱。荊公雖未明確指言其文統說，但振葉尋根，仍可見其沿承唐代宋初之文統說，以「道」爲「文統」取捨之準據，能謹守儒道，經世致用，發皇文業者，始入文章正統。

安石主張法先王之道，故爲文首述堯舜禹湯文武。〈夫子賢於堯舜〉篇云：

昔者道發乎伏羲而成乎堯舜，繼而大之於禹湯文武。……夫伏羲既發之也，而其法未成，至於堯而後成焉。

讚揚堯舜乃明道成法之聖哲，禹湯文武則繼而發楊光大之。〈上張太博書〉又謂「堯舜也者，其道大中至正常行之道」，故「得其書，閉門而讀之」，「穿貫上下，浸淫其中，小之爲無間，大之爲無崖岸，要將一窮之而已矣」，則以堯舜三代道統一脈相承，足資取法之觀念，已確然無疑。〈夫子賢於堯舜篇〉又云：

> 孟子曰：「孔子集大成者」，蓋言集諸聖人之事，而大成萬世之法耳。此其所以賢於堯舜也。

隱然以孔子繼承歷代聖王之德行與功業，煥乎爲盛。非特如此，〈三聖人〉篇又云：「故孔子集其行而制成法於天下，曰：『可以速則速，可以久則久，可以仕而仕，可以處而處』，然後聖人之道大具，而無一偏之弊矣」，指孔子善於知權達變，乃聖之時者。其思想宗於道，其言行則因時制宜，而有不同之事功表現，故〈孔子世家議〉中，安石特別推崇孔子「教化之盛，舄奕萬世」之貢獻。孔子以外，安石最服膺孟子。〈與祖擇之書〉云：「孔子、孟子，書之策而善者也，皆聖人也。」〈除左僕射謝表〉亦云：

> 然孔氏以羈臣而與未喪之文，孟子以游士而承既沒之聖，異端雖作，精義尚存。

以孟軻繼孔，並列爲聖，謂聖文典雅，精義猶在。蓋介甫所以視「孔孟如日月」者（註八），乃因聖人內以仁義禮信修其身，外以身救弊於天下（註九），所謂中充實而發爲外在之輝光，乃能標心萬古，垂言百世。

孟軻之後，安石繼以揚雄。〈答龔深父書〉云：「揚雄者，自孟軻以來未有及之者」，介甫所以推崇揚雄，蓋以揚雄「亦用心於內，不求於外，不修廉隅，以徼名當世」（註一〇），且「雖爲不好非聖人之書，然於墨晏鄒莊申韓，亦何所不讀？彼致其知而後讀，以有所去取，故異學不能亂也」（

註一一），乃砥礪廉潔，博讀眾書之士，其知所去取，守道不苟之態度，尤爲可貴。故揚雄著《法言》，亦能篤守存聖道、闢異端之原則，安石所謂「自秦漢以來儒者，唯揚雄爲知言」（註一二），殆指此而言。此外，荊公〈答王深甫書〉又云：

> 揚子曰：「先自治而後治人之謂大器」，揚子所謂大器者，蓋孟子之謂大人也。物正焉者，使物取正乎我，而後能正，非使之自正也。……孟子沒，能言大人而不放於老莊者，揚子而已。

按揚雄「先自治而後治人」之說，不僅契合《孟子．盡心上》云：「有大人者，正己而物正者也」，亦與安石秉持之基本態度「先吾身而後吾人，吾身治矣，而人之治不治，係吾得志與否耳」（註一三）不謀而合。故當揚雄仕莽，眾人皆非議之，僅安石爲之辯解：「揚雄之仕，合於孔子無不可之義，奈何欲非之乎？」（註一四），甚謂子雲與孔孟道同跡不同（註一五），則子雲好古樂道，文尙致用之做法，誠爲荊公推許其乃孟軻以來第一人之主因。

揚雄之後，介甫推舉韓愈爲文統宗師。〈上人書〉云：「自孔子之死久，韓子作，望聖人於百千年中，卓然也」，以退之遠承孔子，於百千年後，成一家言。〈上邵學士書〉又云：「昔昌黎爲唐儒宗，得其子壻李漢，然後其文益振，其道益大」，〈送孫正之序〉並析言孟韓共通之精神特質，云：

> 時乎楊墨，己不然者，孟軻氏而已；時乎釋老，己不然者，韓愈氏而已。如孟韓者，可謂術素脩而志素定也，不以時勝道也。

推崇孟韓雖身不同時，然皆能尊儒衛道，排斥異端，力挽狂瀾，是以文業成就輝煌。故荆公曾以孫正之「能以孟韓之心爲心而不已」，稱讚其「行古之道」，又「善爲古文」（註一六），欲人制作古文，亦應師法孟韓，闡揚儒道。

安石沿承韓愈、柳開之文統說，以堯、舜、禹、湯、文、武、孔、孟、韓遞相承繼。惟於各家選列荀卿、子厚之際，安石或責「荀卿之不知禮也，……不知天之過也」（註一七），故曰「後世之士尊荀卿以爲大儒，而繼孟子者，吾不信矣」（註一八），對荀況有貶抑之論，或疑「宗元惡知道？」（註一九），而謂「子厚非韓比也」（註二〇），對子厚亦頗有微辭，故未列二子於文統中。則安石「文統」之選列，與唐宋各家同中有異，且篤於自見也。

第二節　學習並重之文學觀

學指學識與修養，與個人所受之教養及努力，有密切關係。習指作家之生活環境、社會環境給予作家之影響。安石注重學習對寫作之必要性，各篇散文時而流露學習並重之觀點。

一、立　誠

荆公重視作家之品德修養，以爲唯有誠存胸臆，著之竹帛，乃能表裡相符，文理可觀。如〈上邵學士書〉云：「非夫誠發乎文，文貫乎道，仁思義色，表裡相濟者，其孰能至於此哉？」以「誠」爲整體之表徵，必須心存仁義才能「立誠」。故〈答楊忱書〉云：

> 聞君子者，仁義塞其中，澤於面，浹於背，謀於四體而出於言，唯志仁義者，察而識之耳。

以修養仁義，發而爲言，才能內信諸己，外信諸人。又如〈靈谷詩序〉云：「其行孝悌忠信，其能以文學知名於時」，「孝悌忠信」亦爲「正心誠意」之具體行爲；按眞宰弗存，洿行無節之士，而能爲天下之至文者，蓋不多見也。是以荊公篤信仲尼「有德必有言」（註二一）之語，〈新秦集序〉稱楊畋「所爲文，莊厲謹潔，類其爲人」，〈祭歐陽文忠公文〉謂歐公「世之學者，無問識與不識，而讀其文，則其人可知」，皆以「文如其人」之觀點品評成文。其意與王充《論衡・超奇》篇云：「精誠由中，故其文語感動人深」，可謂前呼後應，均強調「中充實則發爲文者輝光」之至理（註二二）。

二、重學

作文不可無學，已爲古今文家之定論，以「博學」與「能文」有依存性之關係。荊公〈答史諷書〉亦云：

> 蓋學者，君子之務本，……學足乎己，則不有知於上，必有知於下；不有傳於今，必有傳於後。

以「學」爲務本之事，若能深造自得，無患乎不垂文後世。安石自幼即有志於學，〈詔進所著文字謝表〉云：「徒以弱齡，粗知强學」，〈除知制誥謝表〉亦云：「臣少習藝文，粗知名教。」其學之內涵，據〈答曾子固書〉云：

故某自百家諸子之書，至於〈難經〉、〈素問〉、〈本草〉諸小説，無所不讀，農夫女工，無所不問，然後於經爲能知其大體而無疑。蓋後世學者，與先王之時異矣，不如是，不足以盡聖人故也。

是知安石所謂「學」，包括問學之博綜，與見聞之多廣，尤其貴能知所去取，融化痕跡，而一以經學爲根柢，以彰顯聖人之緒業爲職志。其〈太平州新學記〉云：

嗟乎！學之不可以已也久矣，……蓋繼道莫如善，守善莫如仁。仁之施自父子始，積善而充之，以至於聖而不可知之謂神；推仁而上之，以至於聖人之於天道，此學者之所當以爲事也。

言「學」之內涵廣大高明，而不離乎日用篤行，此學者所應戮力以赴者也。其論爲學之目的，一在安危治亂，淑世利民。如〈與王逢原書〉云：「夫君子之於學也，固有志於天下矣」，〈慈溪縣學記〉亦云：

天下不可一日而無政教，故學不可一日而亡於天下……則士朝夕所見所聞，無非所以治天下國家之道，其服習必於仁義，而所學必皆盡其材。

以經邦治國爲己任。一在贍足才力，制勝文苑。如〈傷仲永〉篇云：

仲永生五年，未嘗識書具，忽啼求之，父異焉，借旁近與之，即書詩四句，並自爲其名。……

自是指物作詩立就，其文理皆有可觀者。……不使學，……令作詩，不能稱前時之聞。……泯然衆人矣。

蓋文章之事，天資魯鈍者，固可藉學習之功，日有進益；稟賦優異者，亦必須力學不輟，始能無務苦慮，裁篇有成。是以〈送陳興之序〉即讚佩興之「博學能文辭」，顯見文之至者，問學不可不勤。介甫如此重學，已成爲其一家之特色。王葆心《古文辭通義》嘗謂「介甫之文，具在深求其所讀與所問」，陳柱《中國散文史》亦言「子固介甫長於論學」。而八家之中，勤學如蘇洵「取論語、孟子、韓子及其他聖人賢人之文，而兀然端坐，終日以讀之者七、八年」（註二三），博學如蘇軾「學如富賈在博收，仰取俯拾無遺籌」（註二四），然皆不若荊公之專注於實學，是以梁啓超嘗謂「彼七家者，皆文人之文；而荊公則學人之文」（註二五），由是可知安石注重爲文之基本素養，强調爲學之重要性。

三、窮塗始能爲文

荊公有〈書李文公集後〉，以《詩三百》爲喩，謂「發憤於不遇者甚衆」，可見安石已注意作家外在環境對文學創作之影響。其〈次韻子履遠寄之作〉詩云：

飄然逐客出都門，士論應悲玉石焚，高位紛紛誰得志，窮塗往往始能文。

謂失志潦倒之人，於困心衡慮之際，寄寓詩文，反見精妙。荊公所謂「窮塗能文」者，非專指生活之困阨，更強調精神之受挫不遇；且唯有作者具有某種特殊才質，秉崇高之精神，與執著之意志，超越一己得失，表達深遠廣大襟懷之文，方足以稱之。荊公如〈送孫正之序〉云：

夫君子有窮苦顛跌，不肯一失詘己以從時者，不以時勝道也。

〈君子齋記〉亦云：

故雖窮困屈辱，樂之而弗去，非以夫窮困屈辱，爲人之樂者在是也；以夫窮困詘辱不足以概吾心，爲可樂也已。

均極推崇人於困頓窮愁之際，志慮之超拔，與守道之不苟。所謂「善於處窮」，此即「窮塗能文」之基本要素。荊公雖曾位極隆盛，然或「怨怒實積於親貴之尤」，或「險詖常出於交游之厚」（註二六），處境極爲艱難窘迫，而不媚斯世，不同流俗（註二七），不以世之毀譽概其心之信念（註二八），始終如一，故劉熙載《藝概・文概》嘗云：「荊公文是能以品格勝者，看其人取我棄，自處地位甚高」，則荊公「窮塗始能爲文」之論，豈非有感而發乎？

「窮塗始能爲文」之主張，非始於安石。蓋自司馬遷以來，有關「不平則鳴」之論述，即屢見不尠。《史記・太史公自序》嘗云：

昔西伯拘羑里，演《周易》，孔子厄陳蔡，作《春秋》，屈原放逐，著《離騷》，左丘失明，厥有《國語》，大抵聖賢發憤之所爲作也。

謂前賢多罹不幸，心意鬱結，始爲傳世不朽之文，言下有自況之意。昌黎〈荊潭唱和詩序〉亦有「讙愉之辭難工，而窮苦之音易好」之嘆，蓋其與子厚皆因貶謫，文愈工妙。至歐陽修〈薛簡肅公文集序〉亦云：

至於失志之人，窮居隱微，苦心危慮，而極於精思。與其有所感激發憤，惟無所施於世者，皆一寓於文辭，故曰：窮者之言易工也。

已明示作家境遇與其創作動機、作品工拙關係密切。是知安石乃基於個人感懷，繼踵前賢，發爲千古以來文家共有之興寄。

第三節　文質兼備之文學觀

「文」與「質」之關係，主要係指作品內容與形式之關係。文學創作必須具有眞實內容，並襯托適當之藝術形式，方能符采相濟，流傳久遠。荆公有關文章內容與形式之論點，散見於詩文集，或就「文」而言，或由「質」而論，或二者並談，但基本上不離內容與形式統一之觀點，當內容與形式須有取捨時，其內容往往有優先於形式之傾向。

一、以文附質

安石爲文質樸簡要，不以雕篆爲工，侈言曼辭，率皆不取。其〈上人書〉云：

> 且所謂文者，務為有補於世而已矣；所謂辭者，猶器之有刻鏤繪畫也。誠使巧且華，不必適用；誠使適用，亦不必巧且華；要之以適用為本，以刻鏤繪畫為之容而已。不適用，非所以為器也，不為之容，其亦若是乎否也。然容亦未可已也；勿先之，其可也。

主張文章之內容與形式，猶如製作器皿，應以適用為本；刻鏤繪畫，不過增其容飾而已。是以〈詔進所著文字謝表〉自歎「少作可棄之浮辭，豈能上副旁搜之至意」，又視詩歌為餘事，以編《唐百家詩選》「廢日力於此，良可悔也」（註二九）；論古人，則謂揚雄當羞悔少而好賦，以賦乃「雕蟲篆刻，壯夫不為也」（註三〇）；論今人，如〈新秦集序〉，誇楊畋「其詞平易不迫，而能自道其意」，所謂「好學而能言者」，又如〈張刑部詩序〉，讚張君「詩若干篇，明而不華，喜諷道而不刻切」，為「唐人善詩者之徒」，甚而為文，直接勸人「古之成名，在無事於文辭」（註三一），凡此均可見荊公不尚華辭麗藻。雖然如此，荊公仍視文辭修飾為創作必不可少之要件，所謂「勿先之，其可也」，主張文辭不可喧賓奪主，言過其實。故〈答王景山書〉云：

> 讀其文章，庶幾得其志之所存。其文是也，則又欲求其質，是則固將取以為友焉。

仍一本以文附質，以思想為主導，文采其次之主張。其實諦觀安石遺辭用字，亦頗精嚴，誠如〈題張司業詩〉云：「看似尋常最奇崛，成如容易卻艱辛」，則安石雖語尚平淡，仍極重視辭意之錘鍊。

二、反西崑

荊公堅持內容與形式並重之具體表現，即爲對當代浮靡華麗文風之抨擊與反對。按北宋眞宗祥符、景德年間，民風豫泰，楊劉時文，盛極一時，操筆之士率以藻麗爲勝，科舉亦以之取士。目睹此一情況，荊公有〈取材〉篇云：「故其父兄勗其子弟，師長勗其門人，相爲浮艷之作，以追時好而取世資也」，頗不以當時競尚浮艷之文風爲然。〈張刑部詩序〉亦云：

> 楊劉以其文詞染當世，學者迷其端原，靡靡然窮日力以摹之，粉墨青朱，顚錯叢龐，無文章黼黻之序，其屬情藉事，不可考據也。

直指西崑作家繁采蕪雜，採濫忽眞。〈上邵學士書〉又謂：

> 某嘗患近世之文，……以襞積故實爲有學，以雕繪語句爲精新，譬之擷奇花之英，積而玩之，雖光華馨采，鮮縟可愛，求其根柢濟用，則蔑如也。

對時文堆砌故實，雕文縟采，及虛浮無用等弊端，屢加撻伐。安石除消極反對西崑體之氣格卑弱，並積極提出因應之對策。如〈乞改科條制劄子〉云：「今欲追復古制，以革其弊，則患於無漸，宜先除去聲病對偶之文」，以改變科舉制度，恢復古樸之文風。〈上邵學士書〉又進而揭示「節奏法度、雅正溫潤」之可貴。書云：

> 某幸覩樂安、足下之所著，譬由笙磬之音、圭璋之器，有節奏焉、有法度焉，雖庸耳必知雅正之可貴，溫潤之可寶也。

蓋內容之雅正溫潤，形式之節奏法度，適足以矯正時文之好奇矜巧，浮文弱植，對當世文風有鍼砭之效。

三、詞簡而精，義深而明

形式主義之過度氾濫，每使文學創作只知追求虛文浮飾，而忽略內容之充實深刻。「語簡義深」之要求，固可改善部分情形，惟爲避免語簡而失於略，義深而流於晦，介甫所謂「詞簡而精，義深而明」，不失爲權衡損益之良策。如〈上邵學士書〉云：

數日前辱示樂安公詩石本，及足下所撰〈復鑑湖記〉，啓封緩讀，心目開滌，詞簡而精，義深而明，不候按圖，而盡越絕之形勝；不候入國，而熟賢牧之愛民，非夫：仁思義色，表裡相濟者，其孰能至於此哉？

所謂「詞簡而精」者，蓋指二人著作造語簡潔，用字精確，指爲文之形式。所謂「義深而明」者，則謂作品意蘊深厚，論理明晰，言文章之內容。是知言少而意足，文約而旨豐，乃荊公論文之重要法則。非仁思義色，表裡相濟之人，無以致之。如樂安公者，詞簡而精，義深而明，荊公譽之爲「聖宋之儒宗也，猶唐之昌黎，而勳業過之」，可謂推崇備至。其實稽考安石散文，亦頗不乏此類作品，如〈答李秀才書〉云：

然書之所願，特出於名，名者古人欲之，而非所以先。足下之才力，求古人之所汲汲者而取之，則名之歸，孰能爭乎？孔子曰：「君子去仁，惡乎成名？」古之成名，在無事於文辭，而足下之於文辭，方力學之而未止也；則某之不肖，何能副足下所求之意邪？

安石明誇暗諷，表面云：「名之歸，孰能爭乎？」，實則寄寓李君去仁求名，離道愈遠之深意；措辭云：「某之不肖，何能副足下所求之意邪？」，實質以志不同、道不合，婉拒對方所請，雖言語簡要，而含義深遠明晰，乃兼顧形式內容需求之佳作。

文「義」方面，安石又提出「事」、「理」之不可偏勝。如〈上邵學士書〉云：「某嘗患近世之文，辭弗顧於理，理弗顧於事，以襞積故實爲有學，以雕繪語句爲精新」。蓋辭、事、理乃文章組成之要素，「辭」指形式，「事」、「理」爲內容。不務事理，而徒求於文辭；或言之不文，而徒矜以事、理勝者，皆偏枯之談。故〈答姚闢書〉云：「卒觀文書，詞盛氣豪，於理悖焉者希閒」，〈王平甫墓誌〉云：「操筆爲戲，文皆成理」，可見詞義俱勝，尤其辭事理兼備之作，爲安石所青睞。

四、傳誌不虛美、不溢惡

文質兼備之作品，內容上要求情感眞實，荊公作傳誌文，以爲不可變亂黑白，褒貶任聲，如〈答韶州張殿丞書〉云：

往者不能訟當否，生者不得論曲直，賞罰謗譽，又不施其間，以彼其私，獨安能無欺於冥昧之間邪？善既不盡傳，而傳者又不可盡信如此。唯能言之君子，有大公至正之道，名實足以信後世者，耳目所遇，一以言載之，則遂以不朽於無窮耳。

除揭舉曲直莫辨之傳誌文居多數以外，並開示公正信實之寫作原則。是以其撰墓誌祭文，皆發自肺腑，眞誠流露。如〈答錢公輔學士書〉中，曾有傳主要求於墓誌銘中寫入立家廟、得甲科爲通判、諸孫名字等，均爲介甫所拒，除一一辨駁之，並謂「鄙文自有意義，不可改也」；又如〈太常博士鄭君墓表〉，介甫應鄭湜之請，爲鄭父作墓表，但鄭父生前並無嘉言誼行可供讚述，是以安石遂引鄭君之言以記之，云：

> 今湜能言其父之賢如此，問其州人之游仕於此者，乃以爲良然。嗟乎！鄭君誠如此，豈特一鄉之善士歟？而其子男與女子，又能如此，故爲序次其說，使表之墓上。

雖遇事微小，而荆公求證立言，不苟爲文如是。即使親如胞兄常甫，道德文章，無傳於世，荆公亦本不虛美、不溢惡之原則，不妄加游揚，於此，可見荆公爲情造文之精神。

結語

綜上所述，荆公之文學觀，有如下三點特色：一、共理相貫，互爲呼應：散見各篇之文學主張，乍看分散零落，其實只要掌握其中心思想，即可振本而末從。如「文以言志」說，仍爲「文以貫道」精神之體現，均强調文章以闡揚儒道，修明教化爲旨趣；「以文附質」說，與「反西崑」之主張，實爲一體之兩面，同爲印證「文質不可分」之原理。二、追步前賢，撥正浮靡：荆公「文以貫道」、「

文宗經術」之思想，並非創發，唐宋古文家多主是說；其反西崑、尙雅正溫潤之文風，兼顧辭事理之文章作法，亦繼踵前賢，不爲空言，旨在矯正晚唐以來形式主義之矜巧虛浮，極富創新精神與時代意義。三、出以新意，自成一家：荆公崇尙事功，搦筆爲文，亦處處流露致用之思想。觀其文之定義、文宗經術、重學、以文附質各說，均寓有實用論點；且安石於八家中以論學擅長，嘗謂學不可一日亡於天下（註三二），是以其綴慮裁篇，思想深刻，見識非凡，十足展現其政治家、經學家獨特之文學觀。

【附註】

註　一　見拙著：〈王荆公散文與其時代之關係〉，刊載於空中大學《人文學報》第一期。

註　二　見《臨川先生文集・送胡叔才序》卷八十四。

註　三　見《臨川先生文集・周禮義序》卷八十四。

註　四　見《臨川先生文集・詩義序》卷八十四。

註　五　見《臨川先生文集・書義序》卷八十四。

註　六　見《文心雕龍・徵聖》篇。

註　七　見《范文正公集・上時相議制舉書》卷九。

註　八　見《箋註王荆文公詩・揚雄三首之一》卷十二。

註　九　見《臨川先生文集・三聖人》卷六十四。
註一〇　見《臨川先生文集・答龔深父書》卷七十二。
註一一　見同前集〈答曾子固書〉卷七十三。
註一二　見同前集〈答吳孝宗書〉卷七十四。
註一三　見同前集〈與王逢原書〉卷七十五。
註一四　見同前集〈答龔深父書〉卷七十二。
註一五　見同前集〈祿隱〉卷六十九。
註一六　見同前集〈送孫正之序〉卷八十四。
註一七　見同前集〈禮論〉卷六十六。
註一八　見同前集〈周公〉卷六十四。
註一九　見同前集〈請杜醇先生入縣學書〉卷七十七。
註二〇　見同前集〈上人書〉卷七十七。
註二一　見同前集〈上邵學士書〉卷七十五。
註二二　見《歐陽文忠公集・答祖擇之書》卷六十八。
註二三　見《嘉祐集・上歐陽內翰第一書》卷十一。
註二四　見《蘇東坡全集前集・代書答梁先》卷八。

註二五　見梁啓超著《王荊公・荊公之文學》第廿一章。

註二六　見《臨川先生文集・與參政王禹玉書》卷七十三。

註二七　見同前集〈答王深甫書二〉卷七十二。

註二八　見同前集〈答李資深書〉卷七十三。

註二九　見《臨川先生文集・唐百家詩選序》卷八十四。

註三〇　見《箋註王荊文公詩・評定試卷二首之二》卷廿九。

註三一　見《臨川先生文集・答李秀才書》卷七十六。

註三二　見《臨川先生文集・慈溪縣學記》卷八十三。

第七章　王荊公之散文體類與風格

作文之要，首在合乎體製，譬如梓人築室，陶匠治器，必先定其制度法式而後爲之，是以荊公評文常先體製而後工拙（註一），由此可見文體對於寫作論文之重要。此外，各類文體因文章應用對象、作者才氣學習之差異，有不同之風格特徵，故由本章說明安石散文之體類與風格。

第一節　散文體類

安石之散文體類，可見於《臨川先生文集》，惟沈卓然於《重編王安石全集・例言》云：「原書文集編次，多有未合者，如表章却列於制詔之後，又諸議對關係政體者，羼入論議類中，及以策問附於雜著之末，均不愜當」（註二），指明《文集》分類未盡妥當，是以本文參酌姚鼐《古文辭類纂》、曾國藩《經史百家雜鈔》之文體分類（註三），重加釐定，各以其類相從，分爲奏議、書牘、序跋、論說、傳狀、碑誌、雜記七體。哀祭、箴銘皆爲四六，故不在本文論述之列。

一、奏議體散文

指臣下陳語君上之文書。荆公散文與奏議文異名同實者頗多，如「上書」、「疏」、「狀」、「劄子」、「議」等是。玆分述如後：

㈠上書

凡臣屬撰文向君主陳述政事者，謂之「上書」。據明徐師曾《文體明辨・序說》，「上書」之名，盛於秦漢，惟宋代以後，已不多見。《臨川先生文集》僅有〈上仁宗皇帝言事書〉一篇，酌古御今，敷策陳計，皆罄其忠愛之忱，成名垂千古之典範。

㈡疏

「疏」有疏通事理，條布言辭之意。以其為文體，則始於漢代。荆公有〈上時政疏〉、〈進戒疏〉二篇，前者分請皇上建賢才、明法度，掌握安危治亂之契機，後者懇勸神宗放鄭聲、遠佞人，杜絕聲色耳目之欲，皆綱舉目張，條理通達，眞摯剴切，感人至深。

㈢狀

「狀」者，陳也。為官屬對君上有所陳情時用之。《臨川先生文集》於「狀」上冠以「奏」字，以別名臣下私相對答往來之稱。荆公之奏狀文，或用以請辭公務官職，或據以薦舉賢才，如〈乞免就試狀〉、〈辭集賢校理狀〉、〈辭同修起居注狀〉、〈辭赴闕狀〉等，均辭明意顯，將荆公篤於孝友之情志、爲官不越進之原則，敷陳無遺，極具說服力。又如〈舉錢公輔自代狀〉、〈舉呂公著自代狀〉、〈舉謝卿材充升擢任使狀〉等，則荊公推本至誠，爲國舉才，皆情辭篤切之篇制。

㈣劄子

「劄子」作爲向皇帝進言議事之文體，始於宋人，乃一代之新式，同於一般奏章。安石奏議體散文，以「劄子」爲名者最多。或匡論時政，如〈擬上殿劄子〉、〈上五事劄子〉裨益國政民生，反覆申說，指陳利害。或議禮儀，如〈議入廟劄子〉、〈廟議劄子〉、〈議皇地示神州地示不合燎燔事劄子〉等，皆援古證今，評議禮儀不合情理。或陳請辭官，如〈乞解機務劄子〉、〈乞以所居園屋爲僧寺并乞賜額劄子〉，或謝恩，如〈謝宣醫劄子〉、〈謝手詔慰撫劄子〉，或爲著書奏進，如〈進鄴侯遺書劄子〉、〈進字說劄子〉、〈乞改三經義誤字劄子〉等，可見「劄子」之內容包羅宏富，應用廣泛。此外，各篇「劄子」文末，輒見「取進止」三字。按宋人奏御劄子稱「進止」，寓有所奏之事或進或止，請皇上裁奪之意。乃奏劄文之特殊用語。

㈤議

指朝廷有事，集合臣下共謀，以定其宜之文書。此即《周書》嘗云「議事以制，政乃不迷」，《文心》所謂「議者，宜也，周爰諮謀以審事宜也。」後來又有「私議」，由學士就其所見，商今訂古，私議於家，與「奏議」有別。荊公之作如〈郊宗議〉，於文題下附：「伏奉聖問撰議繳進」，〈看詳雜議〉云：「曾公亮傳聖旨，以〈雜議〉一卷付臣看詳，臣謹具條奏如後」，〈詳定十二事議〉亦云：「仍乞下審官詳定條約聞奏者」，係安石針對群臣議事而條奏回覆之文，具有「議對」之性質。其他有名稱別於「奏議」，而確有奏陳君上之實者，如〈答聖問賡歌事〉，乃荊公備具所聞以獻皇上之辭，而《文集》編入「論議」，〈議茶法〉、〈茶商十二說〉、〈乞制置三司條例〉三篇，安石除向朝廷樸實陳說，切中時弊，且乞請設置三司條例司，以經畫財經事宜。《文集》將其編入「雜著」類；惟就文章之應用性質而言，應屬「奏議」體散文。

昔人有云：「君臣相遇，雖一語而有餘；上下未孚，雖千萬言而奚補？爲臣子者，惟當罄其忠愛之忱而已爾」，荊公本王佐之才，帝師之術，發爲奏議之文，或闡論國計民生，或宣暢臣屬私意，皆能輸忠陳義，眞摯篤切，且所言折衷古今，洞察時變，有裨於治道。

二、書牘體散文

《經史百家雜鈔》有「書牘類」，曰：「同輩相告者」。其實書牘有「上告下」者，亦有「下告上」者，指群己之間，音信往還之應用文書。荊公書牘，或直稱「書」，或云「上書」，或曰「簡」，分述如下：

㈠書

《文心雕龍．書記》篇云：「書者，舒也。書布其言，陳之簡牘」，其應用範圍廣泛。荊公之作，如〈與王子醇書〉、〈與趙卨書〉皆攸關北宋軍國大事，可見安石嫻熟攻守謀略，擅長用兵之道。

又如〈答曾公立書〉闡述理財政策，〈與馬運判書〉揭示開源理念，均說明財經主張；又如〈答劉讀秀才書〉，藉考《尚書・微子》，推知聖人趣時合變之理，〈答吳孝宗書〉以爲詩禮足以相解，可窺荆公學術思想之一斑；再如〈答李秀才書〉、〈與祖擇之書〉蘊含作者重要之文學觀，〈與王逢原書〉、〈答呂吉甫書〉、〈與參政王禹玉書〉等，與僚友暢敘幽情。不僅全面、眞實地反映荆公之思想情志，亦可藉以明瞭其治學內涵、交游仕宦之生活歷程。

㈡上書

多用於尊貴。明吳訥《文章辨體・序說》云：「昔臣僚敷奏，朋舊往復，皆總曰書。近世臣僚上言，名爲表奏；惟朋舊之間，則曰書而已」，是知奏陳君王之「上書」，與致函尊長之「上書」，名同實異。荆公凡對尊長有所問候、感謝、慶賀、陳情者，多以「上書」爲名。如〈上郎侍郎書〉吐辭委婉，情意眞切。〈上杜學士言開河書〉行文婉曲，故能促成杜學士以竟開河之功。〈上相府書〉，茅評：「時荆公托爲擇便地以養母，其書之情旨深厚婉曲」，可見由於寫作對象身分之不同，「上書」之文以含蓄委婉爲常格。至如〈上田言正書〉、〈上運使孫司諫書〉卻義正辭嚴，坦言無諱，直指二人有失職守，可謂「上書」文之變格。

㈢簡

書於竹者，謂之「簡」，後乃轉爲「書簡」之別名。其體與「書」少異，「書」文長短皆可，「簡」則篇幅簡短者居多。荆公如〈回蘇子瞻簡〉，全文不及百二十字，〈與陳和叔內翰簡〉亦不足百字；然皆言省意豐，情韻不絕也。

《曾文正公日記》云：「古文中惟書牘一門竟鮮佳者，八家中韓公差勝，然亦非書簡正宗。惟諸葛武侯，王右軍書翰，風神高遠」，曾氏所謂「風神高遠」，蓋可與曹子桓云「書記翩翩」（註四），劉勰曰「優柔以懌懷」（註五）相表裏，指溫文爾雅，翩翩有致之作品。荆公之書牘文，如〈答司馬諫議書〉、〈與劉原父書〉、〈請杜醇先生入縣學書〉，反駁對方之論點，措語均針鋒相對，理直氣盛，棱棱不可犯。以書牘體而具有論辯之語勢，實乃荆公之代表作品。曾氏謂非書牘正宗，或即就此而言。

三、序跋體散文

宋王應麟《詞學指南》云：「序者，序典籍之所以作」，是以凡對書籍、文章之寫作緣由、內容、體例、目次、提要，分別敘述者，即謂之「序」。早期之序文，置於全書之末，後來移置書前。至唐韓柳始將簡編後語名爲「題某書」、或「讀某文題其後」，迨乎歐曾，則名之曰「跋」。荆公序跋體散文，有「序」、「題某」、「讀某」、「書某」、「後序」等名稱。至於送別贈言之作，以「序」爲名者，亦大行於唐宋，俟姚鼐編《類纂》始專立「贈序」一體。荆公之「贈序文」，即題名「送某序」者。

㈠序

荊公之「序」，可分「自序」與「爲他人作序」兩種。「自序」文如〈詩義序〉、〈書義序〉，說明上承君命，纘述經旨之緣由。〈唐百家詩選序〉記述成書之原委與期望，皆辭語簡潔，茅坤評爲「法度自典則」。「爲他人作序」文，如〈新秦集序〉，荊公簡介作者經歷、爲文及成藁之經過，言語精實，無片言贅語。又如〈老杜詩後集序〉，荊公除敘述得杜詩、爲作序之大要，並以兩倍之篇幅讚歎杜詩之非人能爲，寫作方式已由敘事擴及議論，內容豐富。〈靈谷詩序〉文字優美，首尾圓合，爲文學性極高之作品。至如〈周禮義序〉，荊公除述明訓釋《周官》之緣由與態度，又云：「其法可施於後世，其文有見於載籍，莫具乎《周官》之書」，「以訓而發之爲難，則又以知夫立政造事，追而復之之爲難」，可見其有意以訓釋《周官》作爲施行新政之準據；本文之宣示作用，迥異於一般之序文。

㈡後序、題某、讀某、書某後

類此名號，均爲荊公讀或寫於書後、文後之「跋」語。除〈善救方後序〉一文，《文集》編入「序」類以外，其餘均編入「雜著」類中，頗不合宜。荊公所作「跋」語，多富學術性，以議論爲主。如〈讀孟嘗君傳〉、〈讀柳宗元傳〉、〈書李文公集後〉、〈題張忠定書〉，皆觀書有感之作。其詞或考古證今，釋疑訂謬，或褒貶善惡，立法垂戒，各有所當，洵爲「跋」體之典範。又有〈書洪範傳後〉一篇，荊公自述爲〈洪範〉作傳之意，以「自序」之性質，而冠「書某後」之名，與其他題名「書某後」之作品，大異其趣。

㈢送某序

荆公有題名「送某序」之散文多篇，《文集》編入「序」類，實即「贈序」文。「贈序」一體，原為文人雅士於親友送別之際，往往賦詩相贈，而贈序即為此等詩篇前之序文。其後雖無詩歌唱和，僅作文章贈別，亦謂之「贈序」。荆公之作，如〈送陳興之序〉、〈送李著作之官高郵序〉、〈送孫正之序〉或勸勉激勵，或同情安慰，或讚美頌揚，均由被贈對象之具體情況出發，以致其惓惓，可謂深得「臨別贈言」之旨；其為文則敘事、抒情、議論兼而有之，表現手法靈活；且均無送行之詩歌，乃「序跋」之變體。

荆公散文尚有不名「序跋」，而具「序跋」之實者。如〈孔子世家議〉，乃安石讀《史記・孔子世家》有感，《文集》編入「雜記」類，不妥。又如〈同學一首別子固〉，乃荆公因子固贈文〈懷友〉，而相與贈答之文，寄寓與子固相警慰之意，頗能契合「贈人以言」之性質，編入「序跋」體，較名符其實。又如〈書金剛經義贈吳珪〉一文，安石以抄錄之佛經經義贈友人，並為文以紀，亦應屬贈序類。

清林琴南《春覺齋論文》云：「序古書、序府縣志、序詩文集、序政書、序奏議、族譜、年譜、序人唱和之詩，歸入『序』之一門。辨某子、讀某書、書某文後、及傳後、論題某人卷後，歸入『跋』之一門。數種中書序最難工，人不能奄有衆長」，謂序跋體中，以書序最不易工。然而安石由於平日沈湎經史，折衷群言，所序均甚精，深得林氏所謂「序貴精實，跋貴簡潔」之要領，歷來頗獲方家好評。

四、論說體散文

指述經論理，辨說是非之散文。荊公「論」體散文，可分陳政、釋經、辯史、哲理四品。「說」則有說明、解釋之意。除「論」、「說」之外，如「解」、「原」、「義」、「問對」各體亦屬之。

㈠論

指闡發經義，論述事理之文章。荊公論體散文，首先爲陳政類：舉凡時代積弊、治國方略，施政要領等，荊公無不議論剴切。如〈太古〉篇，指陳識治亂者，不可食古不化，〈諫官論〉分析諫官制度不健全，乃當時上下否亂之根源。〈材論〉、〈取材〉、〈興賢〉、〈委任〉篇，强調改進取才制度，任賢使能，始可建立法度，超軼三代兩漢之宏規。〈風俗〉篇以正風俗爲安利百姓之首要。其文多引古證今，正反立說，以抽絲剝繭，逐層推進之勢，表達作者深遠之思，獨到之見。其次釋經類：宋人多以論說體解釋經義，發揮經旨。荊公之作如〈易泛論〉對《易經》之字辭、物象之釋義，〈洪範傳〉注解經旨，別出新義，雖未必皆聖人之意，而亦未嘗背於理。〈九卦論〉則闡明《易經》九卦爲聖人處困之道，所言據經析理，足以開悟後學。第三爲辯史類：荊公才優學博，議論古籍人物，每能度越流俗，言人未聞。如〈伯夷〉篇先破後立，駁斥司馬遷、韓子對伯夷之誤說。〈子貢〉篇逐一揭舉史傳三妄。荊公論證詳贍，說理深透，以子之矛，攻子之盾之做法，確爲劉勰所云：「論如析薪，貴能破理」，「義貴圓通，辭忌枝碎」（註六），做最佳之詮釋。第四爲哲理類：荆公闡述哲理之論說文，多取材百氏，附翼六經。如〈揚孟〉篇逐層遞論揚孟言性命之理無二，〈王霸論〉援引例證，說明王霸異術在於心異。〈大人論〉辨析神、聖、大人三者之關係與異同，〈中述〉篇反覆詳陳聖人之道，本乎中之理。荆公或繁徵博引、或比較論證、或反覆申說，使其論體散文充分表露「彌綸群言，而研精一理」（註七）之特色。

㈡說

指獨抒己見，說明義理之散文。《文體明辨．序說》所謂「解釋義理而以己意述之也。」一般而言，「說」與「論」並無大異；然唐宋以後，以「說」爲名之文章，其內容、寫法及風格，較「論」靈活多樣。如荆公有〈夔說〉、〈鯀說〉，以論夔、說鯀起筆，卻以美舜、嘆知遇之難收筆，行文之曲折抑揚，別出新意，充份發揮「說」體之特性。又〈使醫〉一篇，《臨川先生文集》編入「論議」類，全文借求醫療疾事，寄信任專才之意，性質近乎寓言。至如〈進說〉、〈汴說〉二篇，前者係安石爲勸慰楊叔明兄弟所作，後者則爲規諫術士而寫，此一贈人之「說」，與「贈序」體類似，可謂「說」之變體。

㈢解

自《戴記》有〈經解〉一篇，於是詁經之作，多稱爲「解」。此外，「解」亦有辯釋疑惑，解剝紛難之意，與論、說、議、辯相通。荆公有〈卦名解〉、〈易象論解〉、〈周南詩次解〉，詁釋《易

》卦名、《易》象，及《周南詩》之涵義、次序；又有〈命解〉，解說命之窮通與人事相應之理，〈復讎解〉則為人釋疑解難，闡說「復仇」之義，以問答方式，層層鋪設，反覆申說，可見其識見之縝密。

㈣原

《文章辨體．序說》云：「按《韻書》：『原者，本也；一說，推原也。』」「原」之文體，始於《淮南》，自昌黎著〈五原〉，作者繼起，多以其為定式。荊公有〈原性〉篇，一本「聖人之教，正名而已」之精神，駁斥孟荀揚韓之性論。又〈原教〉篇，示古今善教者與不善教者之別，並釐清教化與法令誥戒本末主從之關係。〈原過〉篇則追溯天地有復常之性，進而類推人若知過能改，性即失而復得。荊公之作，原始要終，確能發揮通幽洞微之作用，彰顯「原」體之特色。

㈤義

《文體明辨．序說》以為「義者，理也。本其理而疏之，謂之『義』」。若《禮記》之〈冠義〉、〈祭義〉、〈射義〉諸篇是已。後人依倣，遂有是體。而唐以前蓋少見；至《宋文鑑》乃有之，其體有二：一則如古〈冠義〉之類，一則如今明經之詞。荊公「義」體散文亦有二種：一如〈河圖洛書義〉，就「河出圖，洛出書」之名義，予以疏解推論，即古〈冠義〉之類；至如《周禮》、《詩》、《書》三經義，為「明經之詞」，惜今多亡佚。

㈥問對

指一時問答之辭，或己意不同於人者，往復辨難之語。荆公有〈對疑〉、〈推命對〉二篇，均採問答方式，分就喪禮、命理釋人疑難，使重點醒目，易於引起讀者之注意；而其論事明覈，析理詳贍，足爲「問對」體之範式。又有〈對難〉一篇，則針對〈揚孟論〉辨言性命，與他人意見相左者，補充回覆。文中安石援引古事成辭，以爲論據，邏輯縝密，可資後人取法。

荆公論說體散文，大多不以文題爲體裁，其內容皆有爲而發，不尙空言。以關世教，益後學爲宗旨；語言則流暢生動，簡鍊明白，不以繁縟爲巧、深隱爲奇；且貴能「辨正然否，鑽堅求通」（註八），是以《宋史》譽安石「議論高奇，能以辨博濟其說」也。

五、傳狀體散文

指記載人物生平事蹟爲主之散文。清吳曾祺《涵芬樓文談》云：「傳者，傳也。所以傳其人之賢否善惡，以垂示萬世。本史家之事，後則文人學士亦往往效爲之。」荆公之作如「行狀」、「述」各體均屬之。

㈠行狀

指門生故舊敘述死者之世系、名字、爵里、行誼、年壽等，以供禮官定謚，史官立傳之用，亦有做爲撰寫銘誌之參考者。大較而言，傳有褒有貶，行狀則皆述平生之嘉言懿行。如〈尙書兵部員外郎知制誥謝公行狀〉，對傳主生平事蹟與行誼，敘述詳盡，且極盡稱美之能事。又〈魯國公贈太尉中書令王公行狀〉，撰於歐陽修〈忠武軍節度使同中書門下平章事武恭王公神道碑銘〉之後，係荊公據之而補，異於一般先狀後誌之常規，乃安石爲「請牒考功太常議諡，并史館」而撰，文中敘述王元輔擒鴻霸事，文字簡潔，形象生動；充分體現傳狀文之眞實、形象、敘事三者必備之特色。

㈡述

爲「狀」之別名而較簡略。荊公有〈先大夫述〉，敘述其先君之生前行誼。此外，安石有〈傷仲永〉一文，寄寓勸學之意，文末云：

王子曰：「仲永之通悟，受之天也。其受之人也，賢於材人遠矣；卒之爲衆人，則其受於人者不至也。」

頗似史傳以「論」、「贊」方式散見紀傳之後。又荊公推考許氏歷代譜牒，上起堯舜之許由，下至宋之許迥，撰成〈許氏世譜〉，文末云：

臨川王某曰：「余譜許氏，自據以下，其緒傳始顯焉。……傳曰：『盛德者必百世祀』，若伯夷者，蓋庶幾焉。彼其後世忠孝之良，亦使之遭時，沐浴舜禹之間以盡其材，而與夫夔皐稷虎之徒俱出而馳焉，其孰能概之耶？」

先敘後論，爲古人作不平之鳴者，實出自太史公逸調。上述二篇，《臨川先生文集》同入「雜著」類，實以編入「傳狀」體爲妥。

六、碑誌體散文

指敘述逝者生平事蹟，或悼念功德之作品。原其爲體，韻散不一，後期則以前有散文記事，後有韻文頌贊爲定式。散文部分名「誌」、或「序」；韻文部分則稱爲「銘」，與「箴銘」體之「銘」不同，「箴銘」體之銘辭刻於器物，有勗勉之意；墓銘則刻石於墓碑，以誌其人。荆公之碑誌文，數量最豐，其中又以墓碑文爲主，如「神道碑」、「墓碣」、「墓表」、「墓誌銘」等。

㈠神道碑、墓碣、墓表

古代堪輿家以墓之東南爲神道，立碑於神道，即謂之「神道碑」。「墓碣」與「墓碑」則有形制、官階之別。碑螭首龜趺，趺上高不過九尺，唐代以後用於五品以上之官；碣則圭首方趺，趺上高不過四尺，用於七品以上之官。「墓表」則有官無官皆可用，有將墓主學行德履，表彰於外之意，其文體與碑碣同。

荆公「神道碑」文多以序文在前，銘文在後，如〈贈司空兼侍中文元賈魏公神道碑〉、〈檢校太尉贈侍中正惠馬公神道碑〉、〈司農卿分司南京陳公神道碑〉、〈虞部郎中贈衛尉卿李公神道碑〉等皆是，其敘事簡潔生動，頌贊爲主，少雜議論，爲碑制之正體。至如〈翰林侍讀學士知許州軍州事梅公神道碑〉，則於序文簡述墓主官銜、墓址、子嗣、撰碑由來後，即以銘文長篇累敘墓主生平，故茅坤評云：「通篇以銘序始終，亦變調也。」

荆公之「墓碣」文可分二種：一是有碣無銘，一是有碣有銘。前者如〈內殿崇班錢君墓碣〉、〈仙源縣太君夏侯氏墓碣〉，後者如〈尚書都官員外郎侍御史王公墓碣銘〉、〈錢君墓碣〉、〈王公墓碣銘〉，荆公多以實筆記敘墓主之行誼；惟〈夏侯氏墓碣〉則一反此法，除序世系外，特以虛筆揭之於碣，與碑誌體散文主於敘事之正格適相逕庭。

荆公之「墓表」文，皆有誌無銘。蓋自宋代起，「墓表」之文體，已無後面之韻語；且所誌之墓主，多爲無官職之處士、婦女。荆公如〈建昌王君墓表〉、〈處士征君墓表〉、〈鄱陽李夫人墓表〉、〈外祖母黃夫人墓表〉等皆屬之。又如〈寶文閣待制常公墓表〉，通篇無一實事，特點虛景百數十言；〈處士征君墓表〉，誌征君並兼及杜、徐二人，皆不符「碑誌」文專述墓主生平之正體。

(二)墓誌銘

墓碑埋於地下者，謂之「墓誌銘」。荆公之作，以「墓誌銘」最多，其中又以有誌有銘者佔多數，如〈太子太傅致仕田公墓誌銘〉、〈司封員外郎祕閣校理丁君墓誌銘〉等是。亦有有誌無銘，如〈王平甫墓誌〉；及誌銘以外，又加序者，如〈仙居縣太君魏氏墓誌銘〉。又有以「墓誌銘」爲題，而實無銘辭者，如〈臨川吳子善墓誌銘〉、〈馬漢臣墓誌銘〉、〈亡兄王常甫墓誌銘〉。至如〈京東提點刑獄陸君墓誌銘〉，誌止詳世系大略，而於銘中點綴生平，此又荆公之別具一格也。

《文心雕龍・誄碑》篇云：「夫屬碑之體，資乎史才，其敘則傳，其文則銘」，可見碑誌文亦屬傳記文字之一種。荆公以史家嚴肅之態度，審愼取材，忠實記錄，確使其碑誌保留許多歷史人物之事蹟、反映社會國家之動態，具有史料價值；而碑版文字造語質樸，結響堅騫，往往宜長句者必節爲短句，不多用虛字，以見其凝重謹嚴，爲荊公碑誌文增添文學性質。

七、雜記體散文

指記事寫物，遊覽山水之文，而不易歸屬者皆屬此類。薛鳳昌《文體論》嘗說明「雜記」體命名之由來，云：「或施之刻石，則近於碑記；或侈爲考據，又近於序跋；雖綜名爲記，其體不一，是誠雜也。」

荊公「雜記」體散文，以「記」爲名者居多。記者，記事之文也，其文以敘事爲主。荊公之雜記文，依其內容可分四方面：

⑴記台閣名勝：指浚渠、築塘、建城廓、修院宇、造亭臺等，所撰記事之文。多記敘建造修葺之緣由、過程、歷史沿革，並寄寓作者借古議今之感慨。如〈萬宗泉記〉，述寫得泉鑿池之過程及命名之由來，〈城陂院興造記〉載錄城陂院興造之始末，〈大中祥符觀新修九曜閣記〉敘述道士募錢爲閣之盛事，皆採敘事方式，述明主事者名姓、取費來源、日月久近等，以備不忘。又如〈桂州新城記〉，荊公於爲築城作記以外，並指陳捍禦城池之根本大計。〈通州海門興利記〉，讚述吳興沈君興宗海門之政績，寄託借古喻今之深意。〈度支副使廳壁題名記〉則略述三司副使將前政履歷題名於壁之事後，即以縱恣之筆，暢說其理財理論。各篇皆敘議相雜，事理相成，甚有反賓爲主，專尚議論之勢。

⑵記山水：荆公山水遊記文以〈鄞縣經遊記〉、〈遊褒禪山記〉爲代表，前者記敘周遊縣屬十四鄉之歷程，而以訪視浚渠工程、體察民情爲主意；後者藉遊褒禪山而興情悟理。二篇既未對自然勝景加以牢籠，又無融情入景之感性抒發，此二因記遊有感，遂發議論之作法，實乃唐宋山水遊記文之特色。

⑶記書畫：指爲記述書畫、物品而題寫之散文。荆公有〈廬山文殊像現瑞記〉，因友人繪文殊現瑞圖，爲之作記，文字簡要，呈顯出釋家虛實莫辨之意趣。

⑷記人事：指專以記人敘事爲內容之散文。荆公有〈太平州新學記〉，除記敘主事者於太平興學之始末，並援引《易經》繼道守善之理，闡述爲學眞義。又如〈繁昌縣學記〉文不滿幅，然比較古今廟事興廢離合之故，洞悉入微。是以《春覺齋論文》嘗云：「學記一體，最不易爲。王臨川、曾子固二公皆通經，根柢至厚，故言皆成理。……非湛深於經學儒術者，不易至也」，則荆公之學記文，足爲典式。

此外，荆公有不題名爲「記」，但亦屬「雜記」文者。如〈書瑞新道人壁〉，爲悼歎瑞新道人圓寂，而以文題壁，性質與「記台閣名勝」相仿；又〈相鶴經〉摹寫白鶴之聲貌習性、生長繁衍等，近於「記書畫」一類；至如〈與妙應大師說〉，鋪述智緣奇事，可歸入「記人事」一類。

第二節　各體散文之風格

綜觀荆公各體散文之風格，可區分爲以下四種類型；惟各體散文並非僅有一種風格，是以本文僅就大體而言，倘能略其小而觀其大，庶可得其窾奧矣。

一、雅正明暢

荆公奏議體散文，其共通之特點與藝術效果，在於作者以輸忠竭誠之情志，則古稱先，以明白曉暢之手法，達成裨益治道之目的，流露出雅正明暢之風格。如〈進戒疏〉云：

竊聞孔子論爲邦，先放鄭聲，而後曰遠佞人；仲虺稱湯之德，先不邇聲色，不殖貨利，而後曰用人惟己。蓋以謂不淫耳目於聲色玩好之物，然後能精於用志；能精於用志，然後能明於見理，能明於見理，然後能知人，能知人然後佞人可得而遠。忠臣良士，與有道之君子，類進於時，有以自竭，則法度之行，風俗之成，甚易也。……伏惟陛下自愛以成德，而自強以赴功，使後世不失聖人之名，而天下皆蒙陛下之澤。則豈非可願之事？臣愚不勝惓惓，……幸賜省察。

以古代聖賢爲證，奏請皇上戒絕聲色玩好之物，俾能成就聖王之偉業者，立意正大，典雅得體；佈局則自「放鄭聲，遠佞人」鱗次開展，條理明暢，意旨顯豁，頗能突顯「奏疏」文疏通事理，條布言辭之特色。又如〈上五事劄子〉云：

和戎之策已效矣。……青苗之令已行矣。惟免役也，保甲也，市易也，此三者有大利害焉。……

……蓋免役之法，出於《周官》所謂府史胥徒，〈王制〉所謂庶人在官者也。……保甲之法，起於三代丘甲，管仲用之齊，子產用之鄭，商君用之秦，仲長統言之漢，而非今日之立異也。……市易之法，起於周之司市，漢之平準……竊恐希功幸賞之人，速求成效於年歲之間，則吾法隳矣。臣故曰三法者，得其人緩而謀之則爲大利，非其人急而成之則爲大害。

安石奏議和戎、青苗、免役、保甲、市易五事，而將重點置於後三者，除引經據典，說明立法之由來，並將全文之焦距集中於「得其人緩而謀之，則爲大利，非其人急而成之，則爲大害」一語。奏陳由遠及近，由大至小，層次分明，條理井然，且結語警策，以凝聚焦點之式，暗示問題之重要，並藉以引起皇上之注意，其用心可謂良苦。又如〈論館職劄子〉取鎔經旨，方軌儒門，奏請追效先王之制，使考試任官，循名責實，正黃侃《文心雕龍札記．體性》篇所謂「義歸正直，辭取雅馴」是也。至如〈茶商十二說〉依次奏陳茶商十二害，〈乞制置三司條例〉借古鑑今，條理指陳制置三司條例之作用及必要，皆可見安石奏議體散文結合作者盡忠許國之精神內蘊，與文體應用對象之特點，流露出雅正明暢之風格。

二、勁健峭折

荆公之書牘文，固不乏溫婉蘊蓄之作品，然其爲人所津津樂道者，仍爲表現勁健峭折風格之作品，爲書牘文中之勝品。如〈請杜醇先生入縣學書〉，當杜先生引孟、柳所言婉拒爲人師之請時，荆公云：

孟子謂人之患在好爲人師者，謂無諸中而爲有之者，豈先生謂哉？彼宗元惡知道？韓退之毋爲師，其孰能爲師？天下之士將惡乎師哉？夫謗與譽，非君子之所卹也，適於義而已矣。不曰適於義，而唯謗之卹，是薄世終無君子，唯先生圖之。

以連續設問，反詰杜醇，不僅氣勢迫人，且逐一扳倒杜醇所占之地位，翻駁十分有力。以下並將文勢陡轉，向對方曉以大義，展現安石「自反而縮，雖千萬人吾往矣」之氣概，句句流露勁健峭折之風格。又如〈與劉原父書〉云：

若夫事求遂，功求成，而不量天時人力之可否，此某所不能；則論某者之紛紛，豈敢怨哉？閣下乃以初不能無意爲有憾，　此非某之所敢聞也。方今萬事所以難合而易壞，常以諸賢無意耳。

上句猶言「論某者之紛紛，豈敢怨哉？」下句即以逆轉之筆，表示對劉原父之指責，不敢苟同；並採脣鋒相識，以子之矛，攻子之盾之做法，將對方責難之「無意」說還諸其人。語勢之遒緊峭折，於三言兩語之間，已發揮得淋漓盡致。再如〈答司馬諫議書〉云：

蓋儒者所爭尤在於名實，名實已明，而天下之理得。今君實所以見教者，以爲侵官、生事、征利、拒諫，以致天下怨謗也。某則以爲受命於人主，議法度而修之於朝廷，以授之於有司，不爲侵官；舉先王之政，以興利除弊，不爲生事；爲天下理財，不爲征利；闢邪說，難壬人，不爲拒諫。……士大夫多以不恤國事，同俗自媚，於眾爲善，上乃欲變此，而某不量敵之眾寡，欲出力助上以抗之，則眾何爲不洶洶？……度義而後動，不見可悔也。

起筆即以溫公講尙之名實說反駁其指控，並以排比句式，逐條辯解，語氣遒勁，讀來鏗鏘有力；而各句由正駁反，如以「議法度而修之於朝廷，以授之於有司」駁「侵官」，以「舉先王之政，興利除弊」駁「生事」，「爲天下理財」駁「征利」，「闢邪說，離壬人」駁「拒諫」，易於造成翻疊之文勢，《古文範》曰：「句句勁折」，洵爲知言。文末又以「度義後動，不見可悔」，反襯士大夫之「不恤國事，同俗自媚」，除見作者翻駁有力，並可藉以明瞭安石篤於自信，不同流俗之精神特質（註九）。

荊公論說體散文，除善於說理，邏輯縝密外，亦表現勁拔峭折之風格。如〈禮論〉，對《荀子·性惡》篇云：「聖人化性而起僞，僞起而生禮義，禮義生而制法度」，頗不以爲然。起筆即曰：「嗚呼！荀卿之不知禮也」，以下即抽絲剝繭，以精審周密之思考，逐一論辨。首曰：

知禮者，貴乎知禮之意，而荀卿盛稱其法度節奏之美，至於言化，則以爲僞也，亦烏知禮之意哉？

論述荀卿所以不知禮之故，文勢緊湊；且上下句文意相對成采。次曰：

禮始於天而成於人，知天而不知人則野，知人而不知天則僞。聖人惡其野而疾其僞，以是禮與焉。今荀卿以謂聖人之化性爲起僞，是不知天之過也。

蓋安石以爲，禮之興起，緣由有二：一爲與生俱來之本性，二爲後天外在之強制作用，而荀卿強調禮爲後起，只注重後天之節制，故安石二度批評荀卿「是不知天之過也」。繼而文意陡轉，持論放寬一步，云：

然彼亦有見而云爾。凡爲禮者，必詘其放傲之心，逆其嗜欲之性；莫不欲逸而爲尊者勞，莫不欲得而爲尊長讓……夫民之於此，豈皆有樂之之心哉？患上之惡己而隨之以刑也。故荀卿以爲特劫之法度之威，而爲之於外爾，此亦不思之過也。

謂荀卿亦有見之士，其禮論有助於使民眾知所節制；然亦可能使其因畏於外在之刑法而屈從，非出於內在本性而爲之。行文至此，文勢再轉，使義理復歸於正，故安石第三度批評荀卿「不思之過」。全文藉由正反論辯，翻騰轉折，使文意逐層遞進，氣勢遒勁，充分表露論說體「論如析薪，貴能破理」之特色。又如〈夔說〉，以連續四個設問，反詰《尚書孔安國傳．舜典》「夔爲新命」之說，氣勢剛健緊湊；以下則文勢逆轉，生出「夫擊石拊石，而百獸率舞，非夔之所能爲也；爲之者，眾臣也；非眾臣之所能爲也；爲之者舜也」之新意，爲人所未發。《古文辭通義》嘗云：「貫群籍而激固之，荊公尤峭刻也」，殆指此而言。〈太古〉篇則以設問、頂針、回文交互運用之技巧，翻駁昧者「不識化之之術，顧引而歸之太古」之說，全文首尾呼應，一氣呵成，無懈可擊，乃安石散文所以峭折勁健之基本原因。

三、平實簡潔

荊公之傳狀文、碑誌體之序文大多內容平實，文字簡潔。不僅寫人眞實生動，恰如其分；且精於剪裁，著重大節之鋪寫。內容平實者，如〈貴池主簿沈君墓表〉，墓主之子請安石爲其父撰墓表時，云：

> 先君……其文章不多見，而獨爲士友所知，其行義不博聞，而獨爲親黨所稱；其政事不大傳，而獨爲邑人所記。

對墓主之功德節行並無具體之指稱，是以安石於敘述沈君世系、官爵、年壽等後，遂云：「蓋其行義、文學、政事，皆如其子之言云」。其造語質樸，眞實無諛，故茅坤評曰：「荊公表女兄弟之舅，而所次文章政事，無一言特綴，並本其子之言，其子又似無指實，特空言爲案。古名家之於傳記碑碣，所載其不苟如此」。又如〈太常博士鄭君墓表〉記鄭君之賢，安石云：「今湜能言其父之賢如此，問其州人之游仕於此者，乃以爲良然」，〈永嘉縣君陳氏墓誌銘〉次婦之賢，始則於其夫之言；夫亡，則於其兒子之言，是以茅坤評其「爲案有法」，殆指安石立傳平易眞實，恰如其分。行文簡要者，如〈先大夫述〉云：

> 得進士第，爲建安主簿。時尚少，縣人頗易之；既數月，皆畏翕然，令賴以治。嘗疾病，闔縣爲禱祠。縣人不時入稅，州咎縣，公曰：「孔目吏尚不時入稅，貧民何獨爲邪？」即與校至

府門，取孔目吏以歸，杖二十，與之期三日，盡期，民之稅亦無不入。自將以下皆側目。

描寫其先君之吏治，不僅虛字少用，且長句節爲短句，以簡潔之文字，烘托傳誌文之凝重謹嚴；而傳主形象之生動，並未因此受損。自「縣人頗易之」、「畏翕然」，至「闔縣爲禱祠」，顯示民衆接受之不同程度，可見公待人以德；自「縣人不時入稅」至「民之稅亦無不入」，意味公治事有方。言省意豐，而循吏之形象，躍然紙上。又如〈贈光祿少卿趙君墓誌銘〉云：

初，君戰時，馬貴惶擾，至不能食飲，君獨飽如平時；至夜，貴臥不能著寢，君即大鼾，比明而後寤。

寥寥數筆，勾勒趙君於叛賊圍城之際，堅守城池，臨危不懼之情景，歷歷如繪。不僅如此，荊公善於剪裁，著重大節，每能突顯傳主之特色。如〈給事中贈尙書工部侍郎孔公墓誌銘〉，通篇敘寫墓主剛毅諒直之節操，〈廣西節運使屯田員外郎蘇君墓誌銘〉分述蘇君旣剛且仁又智之特立獨行，〈尙書祠部郎中集賢殿修撰蕭君墓誌銘〉專述墓主安邊之長才與事蹟，足見安石善用排比，使繁雜之材料，簡潔有序，衆理可貫。是知安石傳誌體散文，確能體現該文體之成規旨趣，表現平實簡潔之風格。

四、深婉有味

荊公之序跋文、雜記文，有好發議論之傾向，故常於敘事之外，寄託文外曲致，表現對哲理之沈思、受苦人之同情等，令人回味無窮。如〈送陳興之序〉藉興之之不遇，寄託「悲大公之道不行焉」

之慨嘆，〈讀柳宗元傳〉借八司馬窘困尙能自強求列名於後世，諷刺欲爲君子者，「能毋與世俯仰，以自別於小人者少耳」，皆爲失意者抱不平，行文宛轉，意味深長。又如〈周禮義序〉云：

自周之衰，以至於今，歷歲千數百矣。太平之遺跡，掃蕩幾盡，學者所見，無復全經，於是時也，乃欲訓而發之，臣誠不自揆，然知其難也。以訓而發之爲難，則又以知夫立政造事，追而復之之爲難。

荆公運筆始乎爲《周禮》訓釋，終於立政造事，其文情綿邈而溫懿。吳北江嘗曰：「蓋公所爲所行，一本於《周禮》，其經世之具，固不專在訓釋，其文也用筆綿褫而下，意恉實有所專注，而行文特爲委宛周至」（註一〇），謂荆公作文之旨，非專在訓釋《周禮》，而意在爲其新法立根據，故其文含意深長，吐辭委婉，餘味不絕。又如〈詩義序〉云：

微言奧義，既自得之，又命承學之官，訓釋厥遺，樂與天下共之。顧臣等所聞，如爝火焉，豈足以賡日月之餘光，姑承明制，代匱而已。《傳》曰：「美成在久」，故棫樸之作人，以壽考爲言，蓋將有來者焉，追琢其章，纘聖志而成之也。臣衰且老矣，尚庶幾及見之，謹序。

蓋荆公望詩教之成，使上通乎道德，下止乎禮義，君子以興，聖人以作，三代之政以復，故引《傳》曰：「美成在久」，願後繼之人成此志業。其用心深遠，吳北江嘗曰：「收束又出一意，深思遐望，神味尤爲雋美」（註一一）。按《三經新義序》作於荆公晚歲，潛心經術之餘，發而爲文，每有深婉不迫之情致，方望溪嘗云：「《三經義序》指意，雖未能盡應於義理，而辭氣芳潔，風味邈然，於歐曾蘇氏諸家外，別開戶牖」（註一二）是也。

大抵而言，荊公之雜記體散文，以議論緊扣記事，蘊有深刻之哲理。如〈遊褒禪山記〉，寫遊歷華山，至後洞遇難而止，既其出，悔亦隨之，云：

於是予有歎焉。古之人觀於天地、山川、草木、蟲魚、鳥獸，往往有得以其求思之深，而無不在也。夫夷以近則遊者眾，險以遠則至者少，而世之奇偉瑰怪非常之觀，常在於險遠而人之所罕至焉，故非有志者，不能至也；有志矣，不隨以止也，然力不足者，亦不能至也。有志與力而又不隨以怠，至於幽暗昏惑，而無物以相之，亦不能至也。然力足以至焉，於人爲可譏，而在己爲有悔；盡吾志也而不能至者，可以無悔矣。其孰能譏之乎？此予之所得也。……此所以學者不可以不深思而慎取之也。

荊公覽物起興，以遊山比況爲學之理，所謂「夷以近則遊者眾，險以遠則至者少」，顯示人多避難趨易，悅淺畏深，唯有志、力足且能持之以恆之人，才能極盡「奇偉瑰怪非常之觀」，達到爲學之高深境界。其並寬慰求學之人，只要盡力而爲，雖不能至，亦可以無悔，不必在意人之論長道短。文中數句一轉，愈轉愈深，推闡精妙。茅坤嘗評曰：「逸興滿眼，餘音不絕」，誠深婉有味之精品。他如〈慈溪縣學記〉暢論立學之本意，而憂來者不能繼，〈揚州龍興講院記〉慨歎佛者無私而能成事功，儒者有私而事不成，〈石門亭記〉以仁字爲中心，推考作亭之意，茅評曰：「題雖小而議論甚大」，凡此均可見荊公雜記文深婉有味之風格。

結語

綜觀荆公之散文體類，約有如下四大特色：一、衆體兼備：如奏議體散文又分「上書」、「疏」、「狀」、「劄子」、「議」等；序跋體又分「序」、「題某」、「讀某」、「書某」、「後序」、「送某序」等；論說體散文又分「論」、「說」、「解」、「原」、「義」、「問對」等，各類體式齊備。二、典型足式：荆公散文依循成規定體，足爲楷式之作衆多，如奏議體多以「明允篤誠，辨析疏通」爲大體；序跋體散文亦能切合「序貴精實，跋貴簡潔」之原則；論說體散文則深得「彌綸群言，研精一理」之要旨；此外，序經以荆公爲優，記學以臨川稱善，均爲此中魁傑。三、變體增多：安石爲文亦輒見其突破常格，不拘定式。在體式方面，如書牘體而以論說方式爲之，曾滌生以爲非書牘正宗、贈序文爲序跋體之變格；在結構方面，如題名墓誌銘而無銘辭、以誌詳世系大略，而以銘點綴生平；在作法方面，如雜記文、碑誌文，敘議夾雜；在風格方面，如致函尊貴之上書，以率直顯豁取代委婉蘊蓄，顯見其在舊體散文之基礎上，時有開拓變革；此外，尚有名同而實異，與名異而實同者，前者如同爲「上書」之名，或用以奏陳君上，或用以致函尊長，後者如〈傷仲永〉無傳狀之名而入傳狀體，〈孔子世家議〉無序跋之名而入序跋體，均可見荆公散文「自樹立，不因循」之一面，金王若虛《文辨》云：「宋人視唐百體皆異，其開廓橫放自一代之變」，或即指此而言。四、反映宋代文體特色：荆公山水遊記文、雜記文與宋以前多以記事爲主，甚少出以議論者大相逕庭，而呈現宋代以來議論多，而記事少之風貌。其贈序文則議論、抒情、敘事，兼而有之，表現手法靈活多樣。墓誌銘尤避免千篇一律，極盡變化之能事，於此不但增添各體散文之文學性，亦可覘一代之文體風尚。

此外，不同之文體形式固然關係作品之風格，作者自身之生命內蘊亦必影響作品之藝術表現。荊公各體散文即融合其精神風貌與文體特性，表現四種類型之風格。奏議體散文以雅正明暢為特徵，表露安石矯世變俗之志節，書牘、論說體散文，以勁健峭折為代表，顯現作者卓立不群之情性，傳狀、碑誌體散文，多平實簡潔，與荊公眞誠不苟之人生態度相符，序跋、雜記體散文，則深婉有味，尤以為訓釋作序之作品，最能表現荊公晚歲風格漸趨含藏之情致。綜觀其風格之多樣化，固足以說明安石所以名列大家之緣由，而各體散文中，又以健拔奇氣之陽剛之美見長（註一三）。

【附註】

註　一　：宋黃庭堅〈書王元之竹樓記後〉云：「或傳王荊公稱〈竹樓記〉勝歐陽公〈醉翁亭記〉。或曰：『此非荊公之言也。』某以謂荊公此言未失也。荊公評文章常先體制而後文之工拙。蓋嘗觀蘇子瞻〈醉白堂記〉，戲曰：『文詞雖極工，然不是〈醉白堂記〉，乃是韓白優劣論耳。』以此考之，優〈竹樓記〉，而劣〈醉翁亭記〉，是荊公之言不疑也」。見於《豫章黃先生文集》卷廿六。

註　二　見《王安石全集．重編例言》，沈卓然編，河洛出版。

註　三　清姚鼐編《古文辭類纂》，分文體為論辨、序跋、奏議、書說、贈序、詔令、傳狀、碑誌、雜記、箴銘、頌贊、辭賦、哀祭等十三類；曾國藩編《經史百家雜鈔》則分文體爲三門十一類，包括著述門：論著、序跋、辭賦三類。告語門：詔令、奏議、書牘、哀祭四類。記載門：傳誌、敘記、典志、雜記四類。二書以分類精審，被尊爲總集分類之善本。

註　四　見曹丕〈與吳質書〉云：「元瑜書記翩翩，致足樂也。」

註　五　見《文心雕龍・書記》篇。

註　六　見《文心雕龍・論說》篇。

註　七　見《文心雕龍・論說》篇。

註　八　見《文心雕龍・論說》篇。

註　九　見本論文第八章第二節。

註一〇　見《古文範》下編二，〈周禮義序〉。

註一一　見《古文範》下編二，〈詩義序〉。

註一二　見《吳評古文辭類纂》卷十，〈詩義序〉。

註一三　見《昭昧詹言》云：「荆公健拔奇氣勝六一，而深韻不及。」卷十二。

第八章　王荆公之散文內容

荆公之志行堅卓，爲學根柢深厚，加以拜相爲官，生活閱歷豐富，是以振翰操觚，無不成爲文章之養料，使其散文內容流露濃郁之自家風貌，以下分就題材、情意、識見、思想四方面，說明荆公散文之內容。

第一節　題材寬廣

荆公散文取材多樣，內容包羅萬象，舉凡社會、史傳、學理、勵志、紀實、藝文、寓言各方面，均縱筆爲之。

一、社會性

荆公以淑世精神，對國計民生、風俗禮教等社會現象，無不惓惓於懷，提出興革之意見。政治方面，如〈上仁宗皇帝言事書〉，揭櫫「法先王之政」、「陶冶人才」之兩大治國要目，其說正本清源，立論宏遠，梁啓超譽爲秦漢以後第一大文（註一）。〈上時政疏〉亦重申「大明法度」、「眾建賢才」之重要性，另如〈太古〉篇析言識治亂者，當明化之之術，不可歸之太古，〈論館職劄子〉、〈進說〉篇主張改進考試制度，任官循名責實，〈材論〉、〈取材〉、〈興賢〉、〈委任〉、〈知人〉等強調知賢善任、舉用人才乃治國要務，均與〈上仁宗皇帝言事書〉意旨一貫，顯見安石深體「制度」、「人才」爲立國之根本。又如〈答司馬諫議書〉，反駁溫公侵官、生事、征利、拒諫之指控，〈上五事劄子〉揭示得人、緩謀爲新法成功之要件，皆可見荊公論政高瞻遠矚，深得體要。經濟方面，〈上杜學士言開河書〉、〈上運使孫司諫書〉議請鑿河福利民生、批評責人捕鹽有過，皆安石任職地方惠民之意見，〈乞制置三司條例司〉、〈答曾公立書〉則籲請設置議行新法之機構、說明其理財政策合乎義法，爲荊公位居宰輔時之財經主張，由此可見安石愛民惻坦之心，與籌劃計議之明。軍事方面，〈與王子醇書〉、〈與趙卨書〉明示留意念恤，開納議和之安邊政策，儲欣以爲絕似漢人指揮機宜文字（註二）。禮教風俗方面，則有〈議入廟劄子〉、〈議郊廟太牢劄子〉、〈郊宗議〉等，闡論儀典之涵義與適切性，〈原教〉、〈風俗〉篇則說明教化對淳樸民風之作用。是知安石社會性散文，能切合時代脈動，富有改革精神，對當代社會積重之勢，有濟弱扶傾之價值。

二、史傳性

安石博觀經史，對歷史事蹟、人物瞭若指掌，《文集》中，擷取史傳性題材之作品頗多，如〈伯夷〉篇論伯夷原是義士，《史記》恥食周粟之說，有失其本。〈季子〉篇評吳季札不爲其長子行三年之喪，乃薄於骨肉之情，不用先王之禮。〈孔子世家議〉謂子長列孔子於世家，於仲尼之道無所增益，徒自亂其例。〈子貢〉篇疑《史記．仲尼弟子列傳》所述子貢使四國交兵存魯，跡同策士，不足置信。〈讀孟嘗君傳〉駁孟嘗君特雞鳴狗盜之雄，不曾得一士。〈書刺客傳後〉許曹沫、豫讓、聶政、荆軻各有所爲，比之身懷道德之士，不遑多讓。〈讀江南錄〉議徐鉉著書，有厚誣潘佑之處，依此類推，論斷《江南錄》必非實錄。〈書李文公集後〉驗諸史實，謂李翺言行不符，好惡太過等。遠溯三代，近至宋室，上起聖哲明君，下迄賢臣文士，均在荆公評論之列；並推勘歷史之牴牾，言人所未言。又如〈先大夫述〉、〈亡兄王常甫墓誌銘〉、〈許氏世譜〉、〈尚書兵部員外郎知制誥謝公行狀〉、〈給事中贈尙書工部侍郎孔公墓誌銘〉等，荆公爲至親、名臣、尊貴等人立傳，〈傷仲永〉、〈題瑞新道人壁〉、〈建昌君墓表〉、〈處士征君墓表〉，推及市井小民、方外寺僧、鄉里善士，爲之記載生平節行，又有〈答韶州張殿丞書〉、〈答錢公輔學士書〉說明近世史傳文字未可盡信、表明自己不苟爲銘文之態度，均屬史傳性作品，表達安石之史識，與忠實立傳之態度。

三、學理性

荆公生平於書靡不窺，對佛老諸子之學，皆有所得，而於經術意恉，尤用心覃研。其以討論學術或理論爲題材之作品，解經方面，如〈周禮義序〉、〈詩義序〉、〈書義序〉等，吳北江譽之爲「意量神韻，殆不作三代下想」，爲「淵淵乎金聲玉振之文也」（註三），〈易泛論〉、〈卦名解〉、〈易象論解〉、〈九卦論〉、〈洪範傳〉、〈書洪範傳後〉、〈周南詩次解〉、〈國風解〉等，則觀今考古，以訓經義。論理方面，如〈三聖人〉篇就《孟子・公孫丑上》云「伯夷隘，柳下惠不恭，隘與不恭，君子不由也」，闡述伯夷、伊尹、柳下惠乃順時應變，而有一偏之弊之三聖；〈夔說〉篇則對《尚書孔安國傳》，〈舜典〉云：「禹、垂、益、伯夷、夔、龍皆新命者」，加以駁論；〈周公〉篇論《荀子・堯問》篇所載周公待士之道爲妄；〈楊墨〉篇謂楊墨皆離聖人仁義之道，唯楊子爲己近於儒，墨子爲人遠於道；〈老子〉篇評老子高談無之用，卻鄙形器而不爲，乃坐求無之爲用，亦不察於理而務高之過。此外，朋友之間，魚雁往返，亦常切磋問學，窮究義蘊。如〈答韓求仁書〉闡述易、詩、書、禮、春秋、論、孟、楊、老之說，〈答王深甫書〉比較孟子、揚子、莊子各家說法，爲「大人」釋義，〈答陳梠書〉析言莊、墨離合於道之情形，〈答蔣穎叔書〉侃論佛性之有無，顯示安石所學博雜，學術思想廣大精微。

四、勵志性

安石注重脩身潔行，自少壯至歸隱，無日不然。其以守道爲己任，與朋友相砥礪爲題材之作品極多。或冀望善言之教誨補過，如〈與王深甫書〉、〈與王逢原書〉、〈與孫莘老書〉、〈與樓郁教授書〉等；或互勉進德修業之道，如〈答黎檢正書〉讚佩對方乃志在合乎聖人之道之英材；〈與丁元珍書〉期勉丁君選擇近於禮義，而無大譴者以爲言行之典範；〈答孫長倩書〉勉勵孫君擴充自有之善性，則德業日進，不可限量。此外，贈別之作，亦常寓有安石勵志之意，皆語重心長，摯情可感。如〈送陳興之序〉，憐惜興之有才可以進焉而不得，故爲文以開豁其心，〈送李著作之官高郵序〉讚歎李君屢次淪於卑冗，猶能怡然自得，節行足以高世，〈送陳升之序〉勗勉升之，勿以煦煦之仁，孑孑之義自限，當以具備足任大臣之事之才器自勉，〈送孫正之序〉安慰正之有朝一日得志於君上，必能使眞儒之效彰顯於世，〈送胡叔才序〉勸勉叔才道弸於中，而襮之以藝，雖無祿與位，其榮固在，類此作品，均有助於仁人君子之砥礪志節，怡然自適。

五、紀實性

荊公對山川遊覽、土木營建、奇事異物爲題材之文字，如〈鄞縣經遊記〉敘述周遊鄞縣，瞭解鄉民浚鑿工事之情形，〈游褒禪山記〉寫華山遊歷，遇難而退有感，〈虔州學記〉、〈桂州新學記〉、〈芝閣記〉、〈餘姚縣海塘記〉、〈揚州龍興講院記〉敘寫興學、建城、修閣、築塘、立寺院之緣起與經過，〈相鶴經〉描述羽族之清崇、〈廬山文殊像現瑞記〉摹寫圖繪文殊現瑞之情形，〈與妙應大師〉記載智緣診父之脈，而知子禍福之奇事等，均屬隨事立文之紀實性題材。可藉以明瞭荊公仕宦、交游等生活經歷。

六、藝文性

古人寫作詩文，與今人同，有相與贈答，請人寫序，或請示教益之習。《文集》中亦不乏此類作品。如〈回蘇子瞻簡〉寫得秦君詩，讀後觀感。〈與郭祥正太博書〉言所示詩篇，俊偉壯麗。〈上邵學士書〉讚樂安公及邵學士所示詩文，相得益彰，並傳不朽。〈上人書〉藉獻書請益，並自述作文之本意與原則，〈與祖擇之書〉由獻文祖君，兼敘所聞所志；此外，如〈老杜詩後集序〉、〈伴送北朝人使詩序〉、〈唐百家詩選序〉、〈先大夫集序〉、〈新秦集序〉、〈靈谷詩序〉、〈善救方後序〉等，皆安石為自著、選集，及受人請託，所寫之序文，除說明寫作緣由，並述及編寫、觀覽心得。又〈題華燕仙傳〉、〈書金剛經義贈吳珪〉，乃荆公為黃君著作、寫佛經贈人所誌之文，亦同入藝文性散文。

七、託諷性

如〈使醫〉篇寫請十人治疾，不如使尤良者一人為之，〈汴說〉篇記權貴為追逐名利，熱中於求神問卜，而疏遠聖人之言。前篇文末云：「有腹心之疾者，得吾說而思之，其庶矣」，後者結語曰：「今之世子之術，奚適而不遇哉？」皆借事寓意，別有託諷，與柳宗元〈捕蛇者說〉、〈蝜蝂傳〉等文同一性質。

按《臨川先生文集》與〈補遺〉，五百零一篇散文中，以史傳性散文一四三篇最多，社會性散文一三六篇居次，次為勵志性散文九十七篇，學理性散文七十八篇，紀實性散文二十七篇，藝文性散文一八篇，託諷性散文二篇，內容宏富，通貫古今，可謂兼具深度與廣度。

第三節　情意高潔

蔡元鳳嘗云：「荆國文公，才優學博而識高，其為文也，度越輩流，其行卓，其志堅，超越富貴之外，無一毫利欲之汩，少壯至老死如一。其為人如此，其文之不易及也固宜」（註四），言安石守道安貧，不改其節，是以屬筆為文，亦流露其高潔之情意。按荆公散文於字裡行間所以時見其情意高潔者，乃歸因於安石具有數項精神特質：

一、重修身

宋歐陽修云：「王安石學問文章，知名當世，守道不苟，自重其身」（註五），明鄭曉亦云：「荆公脩身潔行，過於韓范富歐」（註六），荆公節行，素為世所推崇。《文集》中有關敦品勵行之文字極多，如〈答王深甫書〉嘗引揚雄所言「先自治而後治人之謂大器」，以自治在治人之先，〈答曾子固書〉亦云：

方今亂俗，不在於佛，乃在於學士大夫沈沒利欲，以言相尚，不知自治而已。

蓋能自治者可進而治人，反之，則爲害善良風俗，二者差距有如霄壤。而安石所謂「自治」，即是「修身」。君子應取法聖人，修身以俟命，守道以任時（註八）。修身之方法不計其數，安石以「志於道」爲最高指導原則。〈答姚闢書〉云：

> 夫聖人之術，修其身，治天下國家，在於安危治亂，不在章句名數焉而已。而曰，聖人之術單此者，皆守經而不苟世者也。守經而不苟世，其於道也幾！

謂聖人持身，以守經不苟世之態度，則於道庶乎近矣。學者士人亦應奉此爲圭臬，如〈答黎檢正書〉云：「竊以爲士之所尚者志，志之所貴者道，苟不合乎聖人，則皆不足以爲道」，以合乎聖人之道，做爲立志砥行之終極目標。

其次，安石以「合乎義」，做爲處世之準則。「合乎義」者，如〈勇惠〉篇云：

> 蓋君子之動，必於義無所疑而後發，苟有疑焉，斯無動也。語曰：「多見闕疑，愼行其餘，則寡悔」，言君子之行當愼處於義爾。

以知其所宜，行所當行，不行所不當行爲「義」，換言之，即「不苟世」也。《文集》中，述及此方面之內容者甚夥。如〈答王深甫書〉云：「君子之仕行其義者，竊有意焉」，以任官在於行義自勉。是以辭集賢校理時，云：「直以分不當得，非敢以爲讓也」（註九），辭同修起居注時，云：「臣竊觀朝廷用人，皆以資序，臣入館最爲日淺，而材何以異人，終不敢貪冒寵榮，以干朝廷公論」（註一

○），皆以分非所宜，一介不取而辭官，並爲孝友之義，視富貴如浮雲，屢致書富相公、曾參政、歐陽舍人等，婉辭任官之機會。又如〈答司馬諫議書〉云：「度義而後動，是而不見可悔故也」，〈答曾公立書〉云：「政事所以理財，理財乃所謂義也。……某之所論，無一字不合於法」，可見荊公任宰相時，亦一本「合乎義」之精神推行新法，對眾口之交相訾議，安石以爲「謗與譽，非君子所卹也，適於義也」（註一一），其情意高潔，志行堅絕之形象，感人至深。甚至安石交友，亦十分注重對方之節行，如〈與王司錄議王逢原姻事書〉云：

王令秀才，見在江陰聚學，文學智識，與其性行，誠是豪傑之士。…某此深察其所爲，大抵只是守節安貧耳。

推許王令能守節安貧，自得其所，又如〈答段縫書〉云：「鞏文學論議，在某交游中，不見可敵，其心勇於適道，殆不可以刑禍利祿動也」，稱讚子固深明大義，不苟於世，故威脅利誘不能使之動搖。由此可見安石立身行事，待人接物，均以「合於義」爲依歸。安石亦極重視「改過遷善」之自省工夫。如〈原過〉篇云：

天有過乎？有之，陵歷鬭蝕是也；地有過乎？有之，崩弛竭塞是也。天地舉有過，卒不累覆且載者何？善復常也。人介乎天地之間，則固不能無過，卒不害聖且賢者何？亦善復常也。

言人之有過，如天地變化，自然如此，知過能改，則復得其性。是以在其作品中，輒見乞請益友教督責過之詞，如〈與孫莘老書〉云：

古之人未有不須友以成者，蓋無朋友則不聞其過，最患之大者。況某之不肖，所學者，非世之所可用，而所任者，非身之所能爲。忍心拂性，苟取衣食，而冒人之寄屬，其大過宜日日有方理稽求，可以自脫，冀足下時見諭也。

期由教言見賜，以改過向善之意，十分明顯。又如〈謝張學士書〉云：

朋友道喪，爲日久矣；以某之不肖，行於前而悔於後，自已爲多矣，況足下之明耶？每望教督，而終未蒙，惟足下不遺，以朋友之心見存，不勝幸甚。

倘遇朋友願賜針砭，則安石喜不自勝，其藉切磋琢磨，以脩身潔行之志節，溢於言表。

二、尚有爲

安石幼承庭訓，母即勉以許國之節（註一二），其爲學任官亦自期如此，如云：「君子之於學也，固有志於天下矣」（註一三），又云：「少隨官牒，徒有志於養親，晚誤聖知，欲忘身而許國」（註一四），可見其書生報國之熱忱。蓋安石以爲「致用之效，始見乎安身」，「身既安，德既崇，則可以致用於天下之時也」（註一五），謂先吾身而後吾人，乃君子務本之事業。惟修身乃自身可以爲之；天下之治，則繫乎天命與一己之得志與否，是以〈子貢〉篇又云：

夫吾所謂儒者，用於君則憂君之憂，食於民則患民之患，在下而不用，則修身而已。

蓋只要能爲世用，則儒者必當竭盡所能，義無反顧。是以安石散文，無論奏疏獻議，討論學術，或贈序記學等，皆以有補世用之心爲之，茲以〈擬上殿劄子〉爲例：

今陛下有恭儉之德，有聰明睿智之才，有仁民愛物之意，而又因天下之所願以爲輔相者，公聽並觀，以進退天下之士，則所以成天下之才，特患無良法，而陛下推至誠惻怛之心以行之，則臣雖愚，固知人之才不難成也。……以合乎先王之意甚易也。陛下不能如此，苟於積敝之末流，因不足任之才，而修不足爲之法，臣恐在軍者日以勞，而士民愈以窮困汙濫，而於天下國家愈其無補也。臣幸以使事歸報，徒舉利害之一二，而無補於世，非臣所以事陛下惓惓之義也。輒不自知其駑下，而敢言國家之大體，伏望陛下詳擇其中，天下幸甚也。

安石以有補世用之忠忱，自正反二面，論述「法先王之政」、「成天下之才」之重要性，以期君上垂察擇用，使國家長治久安，其意恉與〈上仁宗皇帝言事書〉相同。梁啓超嘗謂「以東坡文比荊公文，則猶野狐禪之與正法也。試取荊公〈上仁宗書〉與東坡〈上神宗書〉合讀之，其品格立判矣」（註一六），蓋指荊公之文立意正大，振因循，掃凡陋，潔白無瑕，度越儕輩，品格自高。

三、不同流俗

洪文襄奏對筆記嘗稱，荊公作文字，與人意同即毀稿（註一七），其不欲與人同，喜自發新意者，可見一斑。《文集》中亦時流露荊公此一特質。〈與王逢原書〉云：「今世既無朋友相告戒之道，而言亦未必可用，大抵見教者，欲使某同乎俗合乎世耳。非足下敎我，尙何望於他人，切無所惜也」

，不甘與流俗同其浮沈之意甚明。〈上仁宗皇帝言事書〉亦云：

然臣之所稱，流俗之所不講，而今之議者以謂迂闊而熟爛者也。竊觀近世士大夫所欲悉心力耳目以補助朝廷者有矣，彼其意非一切利害，則以為當世所能行者，士大夫既以此希世，而朝廷所取於天下之士亦不過如此。至於大倫大法，禮義之際，先王之所力學而守者，蓋不及也。一有及此，則群聚而笑之，以為迂闊。

按當時君臣上下以天幸為常，而無一旦之憂；士大夫習於偷合苟容，棄禮義，捐法制，風俗蕩然。安石以憂危之深，提出法先王，行新政之主張，「固無以媚斯世，合乎流俗」（註一八），是以輒被視為迂闊。安石雖亦曾為此「怵然自疑，且有自悔之心」（註一九），然終「吾心未嘗為之變」（註二〇）者，以其自信「君子之仕行其義」（註二一），故能其善自守，不惑於眾人也（註二二）。〈送孫正之序〉又云：

時然而然，眾人也；己然而然，君子也。己然而然，非私己也，聖人之道在焉爾。夫君子有窮苦顛跌，不肯一失詘己以從時者，不以時勝道也；故其得志於君，則變時而之道，若反手然，彼其術素脩而志素定也。……如孟韓者，可謂術素脩而志素定也，不以時勝道也。惜也不得志於君，使眞儒之效不白於當世，然其於眾人也卓矣。嗚呼！予覯今之世，圓冠峨如，大裾襜如，坐而堯言，起而舜趨，不以孟韓之心為心者，果異眾人乎？

安石分析君子與流俗之差異，在於君子志在維護、發揚聖人之道，雖顛沛窮困，不改變其志節，此所謂「不以時勝道」，「術素脩而志素定」也。如孟、韓乃典型之代表人物，是爲「眞儒」；至於一般權貴顯要，雖口誦堯舜之言，行則反是，故無異「眾人」。換言之，安石立身處事，無不以聖人之道，口誦心維，付諸實踐，此其文之所以情意高潔，迥異流俗之處。

安石於德業上，以志於道，合於義，改過遷善爲致力之目標；爲政上，以弊政不可一日有，而一一設爲良法；行爲上，視毀譽如過往浮雲，不肯詘己以從時，其重修身、尙有爲、不同流俗之精神特質，使荆公之文章節義，過人處甚多，早爲舉世稱道，如明鄒元標譽之爲「儒而無欲者也，儒而有爲者也，儒而自信者也」（註二三），清劉熙載亦謂「荆公文是能以品格勝者，看其人取我棄者，自處地位儘高」（註二四），則荆公散文流露之情意高潔，確爲其散文內容之一大特色。

第三節　識見獨特

荆公有〈致一論〉云：「萬物莫不有至理焉，……苟能致一以精天下之理，則可以入神也；既入於神，則道之至也」，其精求萬物之至理，不僅形諸於言，亦可徵驗於文。按安石散文受時代風氣及文以貫道說之影響，好爲說理議論。政教、歷史、學理性散文，固可闡發宏論，記游、傳誌、詩文贈答等，亦可緣事寓意，以寄襟抱。安石說理立論，輒見其以辯博之才，淹貫之學，發爲勳絕古今之見識，乃其散文獨到之看家本領。

荊公散文，或反駁成說習見，或爲古籍歷史翻案，均呈顯其篤於自信，識見獨具之一面。反駁成說習見者，如〈答曾公立書〉云：

某啓：示及青苗事，治道之興，邪人不利，一興異論，群聾和之，意不在於法也。孟子所言利者，爲利吾國，利吾身耳。……政事所以理財，理財乃所謂義也。一部《周禮》，理財居其半，周公豈爲利哉？……蓋因民之所利而利之，不得不然也。……二分者，亦常平之中正也，豈可易哉？公立更與深於道者論之，則某之所論，無一字不合於法，而世之譊譊者，不足言也。

按青苗法初行，舉朝洶洶，言者咸指爲掊克聚斂，與民爭利，而荊公立法之本意，適與之相反，故謂眾人所言「意不在於法也」，此一駁也；下文並援引例證，以孟子言利，周公理財，皆出於義，爲己說占地位，言與民爭利，實乃爲民謀利，不得不然，此二駁也。荊公採先破後立之持論法，二度批駁論者意見後，繼謂二分取息，公正允當，故結語云：「無一字不合於法」，以照應前文。其緊扣「法」、「利」二字立言，逐一駁論反方意見，有「以子之矛，攻子之盾」之效果，極具說服力。又如〈與趙高書〉云：

某啓：議者多言遽欲開納西人，則示之以弱，彼更倔強，以事情料之，殆不如此。以我眾大，當彼寡小，我尚疲弊厭兵，即彼偷欲得和可知。我深閉固拒，使彼不得安息，則彼上下忿懼，并力一心，致死於我，此彼所以能倔強也。我明示開納，則彼孰敢違眾首議，欲爲倔強者？就令有敢如此，則彼舉國皆將德我而怨彼，孰肯爲之致死？此所以怒我而怠寇也。……至於開納之後，與之約和，乃不可違，違則彼將驕而易我。蓋明示開納，所以怠其眾而紓吾患，徐與之議，所以示之難而堅其約。

安石首先點明議者反對開納，以爲將助長敵勢之意見，並立下斷語，曰：「以事情料之，殆不如此」，繼而由反面駁斥對方論點，揣摩西人偷欲得和之心理，以爲不開納，反使敵人更倔强，並正面提出開納之效果，又以「開納之後，徐爲議和」做補充說明。先斷後論，先破後立之議論方式，不僅攻破敵人之心防，且駁難歸正，新生巧義，使議者無詞以對。再如〈議入廟劄子〉，以皇帝尙在諒陰，不宜更禮，與崇事祖宗，皆循宋制，獨於入廟欲從三代之禮，不相副稱爲理由，駁論衆臣上言「郊祀不當入廟」之意見。〈勇惠〉篇反對衆人所言「惠者輕與，勇者輕死」，提出「惠者重與，勇者重死」之新意，可見安石不取成說，見解獨到之處。

荆公爲古籍歷史翻案者，如〈周公〉篇，對荀子所載周公之言：「吾所執贄而見者十人，還贄而相見者三十人，貌執者百有餘人，欲言而請畢事者千有餘人」，不予置信。蓋「誠若荀卿之言，則春申孟嘗之行，亂世之事也，豈足爲周公乎？」（註二五），其以爲聖人爲政在於立善法，而不在於事必躬親，故〈周公〉篇云：

使周公知爲政，則宜立學校之法於天下矣。不知立學校，而徒能勞身以待天下之士，則不唯力有所不足，而勢亦有所不得，周公亦可謂愚也。

按爲政之道，首在建立法制，周公既爲奠立周朝開國基業之聖人，自不應捨立學校不爲，而行事如此。故安石批評「荀卿之言，其不察理已甚矣」。周公爲政之道既非如此，而荀卿「生於亂世，而遂以亂世之事量聖人」，故安石曰：「後世之士，尊荀卿以爲大儒而繼孟子者，吾不信也。」文中時露安石疑古精神，許多案語皆否定歷來定論，發爲獨特之見。又如〈夫子賢於堯舜〉篇，對宰我所言：「以予觀於夫子，賢於堯舜遠矣」，世之解者皆以爲乃門人之私言，非天下之公論；惟安石不以爲然。其爲「聖」所下之定義，如〈夫子賢於堯舜〉篇云：

夫聖者，至乎道德之妙，而後世莫之增焉者之稱也。苟有能加焉者，則豈聖也哉？然孟子、宰我之所以爲是說者，蓋亦言其時而已也。

安石以「聖」之爲稱，乃德之極；「神」之爲名，乃道之至，故凡古之謂聖人者，皆道德臻於完備，應無程度上之差別，而孟子、宰我所以視夫子賢於堯舜者，安石識見獨具，提出其差別主要在於「時」字。〈夫子賢於堯舜〉篇云：

昔者道發乎伏羲，而成乎堯舜，繼而大之於禹、湯、文、武。此數人者，皆居天子之位，而使天下之道寖明寖備者也。而又有在下而繼之者焉，伊尹、伯夷、柳下惠、孔子是也。夫伏羲既發之也，而其法未成，至於堯而後成焉。堯雖能成聖人之法，未若孔子之備也。

安石以爲聖人之道相同，而因道所制之法，則隨時代愈晚而愈完備。孔子時，天下之變周備，是以孔子能集歷代聖人之事而完成周公之法制。換言之，孔子所以賢於堯舜者，以其在伯夷、柳下惠等前聖之基礎上，因時而成萬世大法。是以安石稱世人所解，「蓋亦未之思也」，其入前人之說，又翻生新意，轉而駁論成見者，若非隻眼獨具，豈能致之？爲歷史翻案者，如〈子貢〉篇，安石對《史記・仲尼弟子列傳》所載：

> 齊伐魯，孔子聞之曰：「魯，墳墓之國，國危如此，二、三子何爲莫出？」子貢因行，說齊以伐吳，說吳以救魯，復說越，復說晉，五國由是交兵，或強或破，或亂或霸，卒以存魯。

疑以爲妄，按安石以爲「所謂儒者，用於君則憂君之憂，食於民則患民之患，在下而不用，則修身而已」，倘《史記》所載爲是，則「子貢安得爲儒哉？」是以其提出三項論據，謂子貢以墳墓之國而欲全之，齊吳之人，豈無是心？奈何使之國亂？且當時孔子、子貢無祿利之位，不在其政，何以生憂患之心？至於憂患既生，又謀爲不義，亡人之國以圖自存，更不能謂之爲儒。文中安石切情入理，能於實事中尋出罅隙，逐層駁倒，劉熙載嘗言「介甫之文長於掃，故高」（註二六），殆謂此也。又如伯夷其人，舊說如孔孟皆以伯夷乃避紂之惡，不自降辱，以待天下之清之聖人。後世則以司馬遷所謂武王伐紂，伯夷叩馬而諫，天下宗周而恥之，義不食周粟之說爲是。如韓昌黎因之，有〈伯夷頌〉，稱讚伯夷、叔齊，以爲微二子，亂臣賊子接跡於後世。對此一公案，安石亦有主見，以爲子長、退之所言失其本。〈伯夷〉篇云：

> 夫商衰而紂以不仁殘天下，天下孰不病紂，而尤者伯夷也。嘗與太公聞西伯善養老，則往歸焉，當是時，欲夷紂者，二人之心豈有異邪？及武王一奮，太公相之，逐出元元於塗炭之中，伯夷乃不與，何焉？蓋二老所謂天下之大老，行年八十餘，而春秋固已高矣！…且武王倡大

義於天下，太公相而成之，而獨以爲非，豈伯夷乎？天下之道二，仁與不仁也。紂之爲君，不仁也，武王之爲君，仁也。伯夷固不事不仁之紂，以待仁而後出，武王之仁焉，又不事之，則伯夷何處乎？

先言伯夷，太公二人嚮義慕仁之理念相同，繼而分析武王伐紂，太公爲輔相，而伯夷不與，實有春秋已高，力不從心之困難，並以伯夷待仁而後出，則武王乃天下仁君，豈有不事之理？文中，安石駕空立意，三駁子長、昌黎之論，所言雖未必眞如此，然緣情說理，推翻史論，卻也思轉自圓，充分突顯安石散文別出心裁，識見獨到之特色。

第四節　思想深遠

荆公爲文，每能不溺於尋常之文題，於文字議論已到至處，更轉出一段議論，開展文章之規模，加深文章之內涵，表現其思想之深遠度。

文題愈平常之作品，愈見安石以題外生意，援古證今之做法，深刻其意蘊。長篇文字如〈桂州新城記〉，但爲築城作記足耳，但安石以另一半之篇幅，衍生出與守城有關之內容，云：

古者君臣，父子、夫婦、兄弟、朋友之禮失，則夷狄橫而窺中國，方是時，中國非無城郭也，卒於陵夷毀頓陷滅而不救。然則城郭者，先王有之而非所以恃而爲存也；及至喟然覺寤，與起舊政，則城郭之修也，又嘗不敢以爲後。蓋有其患而圖之無其具，有其具而守之非其人，有其人而治之非其法，能以久存而無敗者，皆未之聞也。

於記錄桂州築城始末後，安石追本溯源，謂中國自古即有城郭，而守城之道未嘗善也，是以不能長存不廢。其言城郭之頹壞，由五倫禮失，外患猖獗論起；述城郭之修葺，又兼言守具、吏治、及善法之必備。荆公原始要終，題外生意之做法，已擴展文題之局限性，使意在言外，蘊味無窮。此外，文中又徵引文、宣二王之事例，《詩經》之成辭，以證明「卒所以攘戎夷，而中國以全安者，蓋其君臣如此，而守衛之有具也」，所言不虛。全文立論有據，內蘊深遠，是以唐荆川嘗譽之「歸之根本上說，此是大議論」（註二七）。又如〈虔州學記〉，旨在敘述英宗治平年間，蔡、元二侯於虔州立學之事。但有關虔州立學始末，僅及五分之一，其餘皆長篇析論三代至宋朝之學校教育。首先，安石分析「堯舜三代，從容無爲，同四海於一堂之上，而流風餘俗，詠歎之不息」之原因，在於有制度完善之學校教育，繼而，探究秦君焚書坑儒，破壞庠序之學，而終於失敗之緣由，云：

先王之道德，出於性命之理，而性命之理，出於人心。詩書能循而達之，非能奪其所有，而予之以其所無也；經雖亡，出於人心者猶在，則亦安能使人舍己之昭昭，而從我於聾昏哉？……墨子區區，不知失者在此，而發尚同之論，彼其爲愚，亦獨何異於秦？……今天子以盛德新即位，庶幾能及此乎？

謂經書表達先王道德性命之理，乃人同此心，心同此理之不朽作品，不能以政治手腕强迫民眾舍此從彼；惜乎墨子不明此理，猶發尙同之論，其愚與秦無異；並冀望宋英宗以古爲鑑，完善立學之方法。全文遠溯三代，借古喻今，講明學問之本，皆能鞭辟入裡，使題目之眞精神出，無怪乎茅坤評之「好爲深遠之思，遒婉之調」（註二八）。

短篇文字，如〈芝閣記〉，寫眞宗年間，爲迎合君上封禪徵求祥瑞之意，民眾爭獻靈芝以徼厚利；迄乎仁宗，謙儉爲懷，禁獻靈芝，於是太邱陳君惜有可獻而莫售，遂藏之於閣之情形。文末，安石推出「貴賤在時」一層，使題意愈加波瀾，云：

噫！芝一也，或貴於天子，或貴於士，或辱於凡民，夫豈不以時乎哉？士之有道，固不役志於貴賤，而卒以貴賤者，何以異哉？此予之所以歎也。

按荆公一向注重「時」之爲用，如〈三聖人〉、〈夫子賢於堯舜〉篇推崇孔子「聖之時者」之地位，〈非禮之禮〉論聖人貴乎權時之變，〈答劉讀秀才書〉言〈微子〉一篇，可睹聖人趣時合變之意；即使爲建閣作記，亦引發其「時變」之興寄。蓋時機不同，萬事萬物之因應、際遇亦與時俱變，靈芝如此，士何獨不然？故異代而處，靈芝有「窮搜遠采」、「不復知其爲瑞」之差別待遇；士之有道者亦有貴賤懸殊之幸與不幸；擴及於國家社會，亦可「因一時之好惡，而能成天下之風俗」。文中，安石由爲築閣作記，推闡出人、物、風俗莫不與時移易，爲政者不可不愼之理，其深遠之思，題外之意，使本篇興味無窮，宋黃震因譽爲「諸記中第一」（註二九）。又如〈答李秀才書〉，安石寫李秀才爲獻詩請益，跋山涉水，不遠千里而來，所謂「自涇至此，蓋五百里，而又有山川之阨」，因而讚譽

「足下樂從所聞，而不以爲遠，亦有志矣」。之後，文意開始翻騰轉進，云：

> 然書之所願，特出於名；名者，古人欲之，而非所以先。足下之才力，求古人所汲汲者而取之，則名之歸，孰能爭乎？孔子曰：「君子去仁，惡乎成名？」古之成名在無事於文辭，而足下之於文辭，方力學之而未止也，則某之不肖，何能副足下所求之意邪？

點明李生歷經千辛萬苦前來之意，在於從事文辭，徼取聲名；而安石以爲學習之道，名利營求之心，不可居先，是以徵引孔子所言「君子去仁，惡乎成名」，謂崇尚文辭，不求仁道，將離成名愈遠，其言一語道破李生之迷途不返，可謂擲地有聲。且由李生來訪之誠意，適足以表現其「力學之而未止也」之決心，此志正與安石素願相違，是以安石只得委婉辭讓：「某之不肖，何能副足下所求之意邪？」一文中，安石抑揚互濟，剛柔並施，訓斥之餘，又不免寄寓期勉教誨之意，足以發人深省，故茅坤評曰：「言雖短而所思遠」（註三〇），誠屬言簡意深之佳構也。

稽考荊公爲文，所以志慮深長，蘊意幽遠者，與其致用之文學觀有密切之關係。〈與祖擇之書〉云：

> 治教政令，聖人之所謂文也，書之策，引而被之天下之民，一也。聖人之於道也，蓋心得之，作而爲治教政令也，則有本末先後，權勢制義而一之於極，其書之策也，則道其然而已也。
>
> …某生十二年而學，學十四年矣，聖人之所謂文者，私有意焉。

安石學文，十餘年來，既以模範經典爲目標，治教政令爲內容，淑世濟民爲目的，故其寫作散文，亦奉此爲圭臬，表達深刻之意涵，崇高之理想。惟名家作品，往往不見刻鑿痕跡，而推求其文旨，體現聖人之道之用心，則昭彰甚明，此殆「自介甫入者，長於幽邈」（註三二）之主因也。

結語

安石散文之內容，題材寬廣，各類散文，或專用議論，或敘議夾雜，顯示出以說理爲主之傾向；甚中社會性、史傳性散文，切合社會脈動，推勘歷史牴牾，尤具有改革、疑古之時代精神。其次，散文之情意高潔，與作者修身潔行，有爲有守，不同流俗之高風亮節，適爲表裡，呈現安石有擇、不苟之人生態度。其不肯詘已從時之個性，形諸於文，無論駁難俗見、翻案史實，均能言人所未言，識見獨具。此外，安石每於尋常文題，表達文外曲致，寄託其法古、致用之本意，故能思想深遠。是知安石散文之內容，不僅通古貫今，議論深刻，兼具深度與廣度；且能反映時代風氣，表現作者情志、學養、經歷及文學觀之特色。

【附註】

註一　見梁啓超《王荊公・執政前之王荊公（下）》第七章。

註二　見《唐宋文醇》卷五十八，〈與趙卨書〉後。

註 三　見《古文範》下編二〈詩義序〉後。

註 四　見《王荊公年譜考略・臨川王文公集序》卷首一。

註 五　見《歐陽文忠公集・奏議・再論水災狀》卷一一〇。

註 六　見《王荊公年譜考略》卷二十一「附與陳和叔內翰簡」後。

註 七　見《臨川先生文集・答姚闢書》卷七十五。

註 八　見同前集〈推命對〉卷七十。

註 九　見同前集〈辭集賢校理狀〉卷四十。

註一〇　見同前集〈辭同修起居注狀〉卷四十。

註一一　見同前集〈請杜醇先生入縣學書二〉卷七十七。

註一二　見《臨川先生文集・賜生日禮物謝表一》卷五十九。

註一三　見同前集〈與王逢原書〉卷七十五。

註一四　見同前集〈除依前左僕射觀文殿大學士集禧觀使謝表〉卷五十八。

註一五　見同前集〈致一論〉卷六十六。

註一六　見梁啓超《王荊公・荊公之文學（上）》第二十一章。

註一七　見《古文辭通義》上冊卷四引。

註一八　見《臨川先生文集・答王深甫書二》卷七十二。

註一九　同註一八。

註二〇　同註一八。

註二一　同註一八。

註二二　見同前集〈答段縫書〉卷七十五。

註二三　見《王荊公年譜考略》節錄明鄒元標〈崇儒書院記〉卷首二。

註二四　見劉熙載《藝概．文概》卷一。

註二五　見《臨川先生文集．周公》卷六十四。

註二六　見劉熙載《藝概．文概》卷一。

註二七　見《王荊公文鈔．桂州新城記》卷七，唐荊川曰。

註二八　見同前文鈔〈虔州學記〉卷七，茅坤評。

註二九　見宋黃震《黃氏日抄》卷六十四，《文淵閣四庫全書》七〇八冊。

註三〇　見《王荊公文鈔．答李秀才書》卷五，茅坤評。

註三一　見《古文辭通義》卷八。

第九章　王荊公之散文謀篇

《曾文正公日記》云：「古文之道，謀篇布勢，是一段最大工夫」，蓋臨文之際，主意旣定，即須謀篇，樹立格局，以期綱領昭暢，氣脈流通；否則委心逐辭，異端叢至，駢贅必多。荊公思慮縝密，條理清晰，運筆爲文具有以下三點特色。

第一節　首尾圓合

荊公作文，每使文章前後相應，脈絡貫注。其習見之布局方法有三：

一、總提分應

安石散文有總提大意在前，先立一篇之局，中間分段呼應，文末再歸結收束者。如〈議茶法〉於首段總挈大綱，云：

國家罷推茶之法，而使民得自販。於今實爲便，於古義實爲宜，而有非之者，蓋聚斂之臣，將盡財利於毫末之間，而不知與之爲取之過也。

以下即逐層分說，第一段云：「茶之爲民用，等於米鹽，不可一日以無，而今官場所出，皆麤惡不可食，故民之所食，大率皆私販者。……嚴刑峻法，有不能止者；故鞭扑流徙之罪，未常少弛，……既罷摧之之法，則凡此之爲患，皆可以無矣」，以當時國營茶業擾民，罷之爲宜，呼應上文「於今實爲便」；再以第二段「霍光……屈其論而罷其法（指洪羊榷酤之議），蓋義之勝利久矣」，回應前言「於古義實爲宜」；「彼區區聚斂之臣，務以求利爲功，而不知與之爲取，上之人亦當斷以義，豈可以人人合其私說，然後行哉？」貫串前文「蓋聚斂之臣，……不知與之爲取之過也」；並以第三段「今雖國用甚不足，亦不可以復易已行之法」總結全文。如此不僅眉目清楚，事理明晰，且使通篇首尾相援。又如〈莊周〉上，起筆云：「世之論莊子者不一」，以下乃兵分二路，首言「學儒者曰」，繼述「好莊子之道者曰」，再比較二說異同，云：「夫儒者之言善也，然未嘗求莊子之意也；好莊子之言者，固知讀莊子之書也，然亦未嘗求莊子之意也」，於總提分應後，又合注於「未嘗求莊子之意也」，點出題旨所在。可見其開合有致，首尾貫串。

荆公爲文，又有前立數意，後予鋪應者，亦屬總提分應之一法。雙起分承者，如〈原教〉篇以「善教者藏其用，民化上而不知所以教之之源」，「不善教者反此，民知所以教之之源，而不誠化上之意」兩意並提，以下即承上文交互翻騰，如云：

善教者之爲教也，……天下之君君、臣臣、父父、子子、兄兄、弟弟、夫夫、婦婦，皆吾教也，民則曰「我何賴於彼哉？」此謂化上而不知所以教之之源也。不善教者之爲教也，……而暴爲之制，煩爲之防，劬劬於法令誥戒之間，……此謂民知所以教之之源，而不誠化上之意也。善教者，浹於民心，而耳目無聞焉，以道擾民者也；不善教者，施於民之耳目，而求浹於心，以道強民者也。

從題之兩旁，生出議論，一彼一此，兩意互翻，使題之正面愈加醒豁，愈能符合「原」體之特色。數意分應者，如〈答司馬諫議書〉，以溫公列舉四條，立一篇之局，云：「今君實所以見教者，以爲侵官、生事、征利、拒諫，以致天下怨謗也」，以下遂以「不爲侵官」、「不爲生事」、「不爲征利」、「不爲拒諫」、「怨誹之多，則固前知其如此也，……某不量敵之衆寡，欲出力助上以抗之，則衆何爲而不洶洶」，逐事辨答，全文桴鼓相應，章法嚴整。

總提分應之布局法，固收條分縷析，井然有序之效，惟逐段自成首尾，易生呆滯之病。如〈上人書〉即於整齊中富有變化，起筆云：

嘗謂文者，禮教治政云爾。其書諸策而傳之人，大體歸然而已；而曰：「言之不文，行之不遠」云者，徒謂辭之不可以已也，非聖人作文之本意也。

以「文者，禮教治政云爾」，與「辭之不可已，非聖人作文本意」兩柱分立，自正反二面翻出「文以致用」之題旨；下文則迴環生趣，先引韓柳爲例，謂其語人以辭，非作文本意，呼應下句；再以「文者，務爲有補於世」，挽合上句，用筆生動，布局活潑，荆公謀篇之巧，於此可見一斑。

二、先斷後論

荆公論辨文字，每就題設論，翻去常解，自立新意，而後展開論證。有開手即揭明誤處，旋用己意，層層駁難者，如〈勇惠〉篇云：

世之論者曰：「惠者輕與，勇者輕死，臨財而不訾，臨難而不避者，聖人之所取，而君子之行也」，吾曰不然。惠者重與，勇者重死，臨財而不訾，臨難而不避者，聖人之所疾，而小人之行也。

先敍明立案，繼用己意翻駁，以下加以說明。二段拈出「君子俟義而與、而死」之新解，以補足說理未盡之處，三段舉例以證之，謂「勇過於義，孔子不取，則惠之過於義，亦可知矣」，四段設詞以難之，謂「孟子曰：『可以與，可以無與，與傷惠；可以死，可以無死，死傷勇』，蓋君子之動，必於義無所疑而後發。……而世有言孟子者，……蓋亦弗思而已矣」，由是神完氣足，無隙可攻。又如〈三不欺〉篇云：

昔論者曰：「君任德，則下不忍欺；君任察，則下不能欺；君任刑，則下不敢欺」，而遂以德察刑爲次，蓋未之盡也。此三人者之爲政，皆足以有取於聖人矣；然未聞聖人爲政之道也。夫未聞聖人爲政之道，而足以有取於聖人者，蓋人得聖人之一端耳。

以「論者曰」爲引論，繼而掃去陳言，翻出三人者，「未聞聖人爲政之道」，「得聖人之一端」之新意。二段則呼應上文，謂子賤、子產、西門豹之政，未聞聖人爲政之道，否則當知德、察、刑不可獨任。三段則追進一層，謂「聖人之道，有出此三者乎？亦兼用之而已」，乃由外證以見三人得聖人之一端，四段再舉西門豹爲例，乃由內證說明德、察、刑之不可專用。如此環環相扣，勢如貫珠，則人言之不足據，不攻自破。又有起筆則闡說已見，再論斷對方理未完贍者，如〈夔說〉篇云：

> 舜命其臣而勑戒之，未有不讓者焉，至於夔則獨無所讓，而又稱其樂之和美者，何也？夫禹、垂、益、伯夷、龍，皆新命者也，故疇於眾臣而後命之，而皆有讓矣；棄、契、皐陶、夔，當是時，蓋已爲是官，因命是五人者，而勑戒之焉耳，故獨無所讓也。孔氏曰：「禹、垂、益、伯夷、夔、龍皆新命者」，蓋失之矣。

以設問語氣，揭示夔非新命，其樂和美之題旨，並下斷語，謂孔氏傳於義有失，而後展開論辯，如二段以「舜之命此九人者，未嘗不咨而後命焉」，「舜之命夔也，亦無所疇；夔之受命也，亦無所讓」，駁斥孔氏夔爲新命之說，三段以「擊石拊石，而百獸率舞，非夔之所能爲也，爲之者舜也」，「稱其樂之和美者，豈以爲伐耶？蓋以美舜也」，迴應首段所言，皆由事實、情理上立論，且輔以佐證，使其論辯首尾相銜，說理完足。

三、一意貫說

荊公散文，有提出一意，貫串全篇，首尾圓合者。如〈本朝百年無事劄子〉，表面肯定太祖以來「享國百年而天下無事」，並稱讚仁宗「仰畏天，俯畏人，寬仁恭儉，出於自然，而忠恕誠慤，終始如一」，實則一一含諷，爲下文揭露眞相預留伏筆，如第三段云：

> 然本朝累世因循末俗之弊，而無親友群臣之議，人君朝夕與處，不過宦官女子，出而視事，又不過有司之細故，……一切因任自然之理勢，而精神之運有所不加，名實之間有所不察。

以「本朝累世因循末俗之弊」，總結上文，呼應「太祖一以安利元元爲事」、「太宗承之」、「眞宗守之」；以「一切因任自然之理勢」，順承仁宗之「仰畏天，俯畏人」，並進而指出當時在政治、經濟、文教、軍事各方面存在之嚴重問題，敦促神宗透過表面之太平景象，正視隱伏之國家危機，勵精圖治，振衰起弊，故曰：「大有爲之時，正在今日」。全文自百年「無事」論證危機四伏之「有事」，題旨一貫，故《唐宋文舉要》謂之「綱舉目張，章法高古，自始至終，如一筆書。」又如〈興賢〉篇云：

> 國以任賢使能而興，棄賢專己而衰，此二者必然之勢，古今之通義，流俗所共知耳。何治安之世有之而能興，昏亂之世雖有之亦不興？蓋用之與不用之謂矣。有賢而用，國之福也；有之而不用，猶無有也。

首段雖然開門見山，入筆擒題，卻僅重申前人觀點，而非眞正題旨。對於清明之世，有賢即能興國；昏亂之世，雖有賢而國不興之原因，安石另闢蹊徑，見解獨到，所謂「有賢而用，國之福也；有之而不用，猶無有也」，不僅立意創新，深化文題，且將題旨全盤托出；以下遂以此為中心，展開議論。如第二段徵引古事，證明任賢與否關係國家興衰至鉅，並重申題旨，遙接上文。第三段則以「今猶古也」結上生下，謂「古雖擾攘之際，猶有賢能若是之眾，況今太寧，豈曰無之？在君上用之而已」，反詰語氣使文生波瀾，不致於板滯；肯定用語，則簡潔有力，緊扣題旨，强調古今用賢之理一貫。第四段再以正反互見之四個排比句，突顯任用賢人之效果，並總結全文，指出「苟行此道，則何慮不跨兩漢軼三代，然後踐五帝三皇之塗哉？」，與起筆「國以任賢使能而興」，有一氣相生之妙。又如〈給事中贈尚書工部侍郎孔公墓誌銘〉，分就五事照應起筆所言「以剛毅諒直，名聞天下」，如寫孔道輔「上書請明肅太后歸政天子」，「皇后郭氏廢，引諫官御史，伏閤以爭」，可見其事君之大節；其所至官治，則數以爭職不阿，或絀或遷，「而公持一節以終身，蓋未嘗自詘也」；甚至公為中丞時，「宰相使人說公，稍折節以待遷，公乃告以不能」；並曾舉笏擊殺被人敬為神明之蛇，凡此均可見孔公智勇過人，故文末安石總束上文，云：「余觀公數處朝廷大議，視禍福無所擇，其智勇有過人者，勝一蛇之妖，何足道哉？」可見各段雖議論紛出，必處處與題旨相合，故能氣脈貫注，起結互應。茅鹿門因謂之「荊公第一首誌銘」（註一）。

第二節 層次翻瀾

層次乃文章起承轉合之次序，每一層次有每一層次之中心思想，總和而成文章之主旨，故層次爲作者表達思想之單位。荊公謀篇，層次分明，波瀾盪漾，行文自有法度。以下分由起承、承轉、轉合三方面，以見荊公作文之次序。

一、起承上

或直起順遞，或直起逆接，或突起逆接，可見荊公散文章法之變化多端。如〈靈谷詩序〉云：

> 吾州之東南有靈谷者，江南之名山也。龍蛇之神，虎豹翬翟之文章，楩柟豫章竹箭之林，皆自山出，而神林鬼冢魑魅之穴，與夫仙人釋子恢譎之觀，咸附託焉。至其淑靈和清之氣，盤礴委積於天地之間，萬物之所不能得者，乃屬之於人，而處士君實生其址。

起筆先點靈谷，照應文題，繼寫靈谷生物、鬼神，俱是襯筆，而將聚光點集於處士一身。二段接寫吳氏「家於山阯，豪傑之望，臨吾一州者，蓋五、六世而後處士君出焉」，其依空間轉換以安排層次者，茅坤謂之「覽之如遊峭壁邃谷」（註二），乃直起順遞之筆法。又如〈送胡叔才序〉云：

> 叔才銅陵大宗，世以貲名，子弟豪者馳騁漁弋爲己事，謹者務多闢田以殖其家。……遇儒冠者皆指目遠去，若將浼己然。雖胡氏亦然，獨叔才之父母不然。於叔才之幼，捐重幣，逆良先生教之。既壯，可以遊，資而遣之，無所靳。居數年，朋試於有司，不合而歸。

自叔才之宗族，敘及胡氏，由叔才弱齡、壯年，述至試於有司，前者暗寓不利叔才學儒之背景，後者明寄叔才父母令其受學之苦心，層次分明，波瀾起伏，且隨層次之移轉，文章內容即推進一層，乃以空間爲經、時間爲緯之直起順遞法。

荊公謀篇，又有直起後，恐落於平衍，而以逆筆救之者，如〈鯀說〉首段言堯時「可治水者惟鯀耳」，「其才群臣莫及，然則舍鯀而孰使哉？」二段起即離開題目，自側面發議，謂「當此之時，禹蓋尚少，而舜猶伏於下而未見乎上也」，以翻騰之筆爲下文蓄勢，如此順逆相生，文如馬行岡巒，起伏不定。又如〈度支副使廳壁題名記〉，第一段寫廳壁題名之由，引入本題，第二段則宕開一筆，翻出議論，云：

> 夫合天下之眾者財，理天下之財者法，守天下之法者吏也。吏不良則有法而莫守，法不善則有財而莫理。有財而莫理，則阡陌閭巷之賤人，皆能私取予之勢，擅萬物之利，以與人主爭黔首，而放其無窮之欲。……然則善吾法而擇吏以守之，以理天下之財，雖上古堯舜猶不能毋以此爲先急，而況於後世之紛紛乎？

言理財之方，在於立善法、擇良吏。前三句層遞漸進，步步深入，與後三句正反相承，迴環往復。「有財而莫理」以下，仍從反面立論，承上直下，吳北江評之曰：「廉悍駿邁」（註三）；「然則善吾法而擇吏以守之」以下，再回歸正意。文勢曲折迴旋，使布局有波瀾起伏之妙。此外，又有以逆勢起筆，再用逆接與起筆相應者，如〈命解〉篇，首段以逆筆突起，云：

> 先王之俗壞，天下相率而爲利，則強者得行無道，弱者不得行道，貴者得行無禮，賤者不得行

禮。

憑空發議，似與文題無關，二段並舉孔子、孟子爲例，謂彼二人乃所謂不得行道、不得行禮者也。行文至此，仍未切入正題；直至第三段謂「孔子不以弱而離道，孟子不以賤而失禮，……以其有命也」，才撥轉迴應主意。與上文之突起逆接，展轉相生，而文旨益醒。又如〈先大夫集序〉，首段從「君子於學，其志未始不欲張而行之以致君，下膏澤於無窮；唯其志之大，故或不位於朝，不位於朝而執不足以自効，則思慕古之人而作爲文辭，亦不失其所志也」立論，如異軍突起；次段承接上文，謂古得志者多，文傳於後者少；與後世適成反比。兩段凌空落筆，雖意推題外，而旨在題中，迄至第三段乃收轉本題，而氣脈仍相聯貫；可見荆公突起逆接之運筆方式，實有爲下文蓄勢，使文章富於波瀾變化之作用。

二、承轉上

有逐層進進，順勢而轉者，如〈同學一首別子固〉以曾鞏、孫侔皆爲荆公慕而友之之賢人，第二段起分析二人之共通點云：

二賢人者，足未嘗相過也，口未嘗相語也，辭幣未嘗相接也；其師若友，豈盡同哉？予考其言行，其不相似者，何其少也？曰：「學聖人而已矣」。學聖人則其師若友必學聖人者，聖人之言行，豈有二哉？其相似也適然。予在淮南爲正之道子固，正之不予疑也；還江南爲子固道正之，子固亦以爲然；予又知所謂賢人者，既相似，又相信不疑也。子固作懷友一首遺予，其大略欲相扳，以至乎中庸而後已，正之蓋亦常云爾。

文字上，於「豈盡同哉」，先點「同」字，次於「學聖人而已矣」點出「學」字，再於「學聖人則其師若友，必學聖人者」合寫「同學」，逐層推進，呼應文題；語意上，蟬聯而下，先言子固與正之「言行相似」；次於「相似」之基點上，生出「相信不疑」一層，再衍申二人轔中庸之庭而造於其堂，「所學相似」之一層，章法層疊而進，如拾級焉。又如〈擬上殿劄子〉言天下不久安，以無合乎先王法度之故，二段則緊承上意，曰：「臣以謂當今之失，患在不法先王之政者，以謂當法其意而已」，以「法先王之政」爲過句，引過次段，新生「法其意」一層；三段亦脈絡接續，曰：「臣固以謂雖欲改易更革天下之事，合於先王之意，其勢未必能者，何也？今天下之吏才少故也」，以「法其意」束上起下，引發「人才不足」之議論，故四段隨即論述「然則方今之急，在乎人才而已」。觀其各段自爲起訖，交互見意，逐層遞進之做法，不僅使文章纍如貫珠，靈動圓轉，且能段段生趣，令讀者爲之忘倦。

又有文勢陡轉，頓折變化者，如〈讀孟嘗君傳〉云：

世皆稱孟嘗君能得士，士以故歸之，而卒賴其力，以脫於虎豹之秦。嗟乎！孟嘗君特雞鳴狗盜之雄耳！豈足以言得士？不然，擅齊之強，得一士焉，宜可以南面而制秦，尚何取雞鳴狗盜之力哉？夫雞鳴狗盜之出其門，此士之所不至也。

此篇主旨在駁孟嘗君能得士。起筆以敘事伏脈，點出「世皆稱得士」、「脫於虎豹之秦」二句，以爲下文翻案立地步。二節自「嗟乎」以下，語意陡轉，翻出新意，謂孟嘗君乃雞鳴狗盜之雄，並以反掉之筆「豈足以言得士」，駁難起筆第一句。三節從「不然」起句，文勢再轉，由擅齊之强，不得南面制秦，僅能以身倖免，再駁「卒賴其力，以脫於虎豹之秦」，暗示彼雞鳴狗盜之輩，僅能助孟嘗君脫難，非謂眞士。四節則追溯士不至之因，在於雞鳴狗盜之徒出其門，一以呼應「孟嘗君特雞鳴狗盜之雄耳」之斷語，二以反駁「士以故歸之」之俗見，並歸結「孟嘗君不能得士」之篇旨。通篇三轉，每轉義愈深，勢愈陡，劉海峰嘗曰：「寥寥數言，而文勢如懸崖斷壁，於此見介甫筆力」，吳北江亦云：「此文乃短篇中之極則，雄邁英爽，跌宕變化，故能尺幅中具有萬里波濤之勢」（註四），可見荆公布局逐層翻瀾之妙筆。又如〈泰州海陵縣主簿許君墓誌銘〉敘寫許君名姓、官銜後，第二段云：

君……自少卓犖不羈，善辯說，與其兄俱以智略爲當世大人所器。寶元時，朝廷開方略之選，以招天下異能之士，……而選泰州海陵縣主簿。貴人多薦君有大才，可試以事，不宜棄之州縣，君亦常慨然自許，欲有所爲，然終不得一用其智能以卒。

感慨許平有智謀，薦而不達，並其自負之意。第三段則擲筆天外，文勢徒轉，云：

士固有離世異俗，獨行其意，罵譏笑侮，困辱而不悔，……而有所待於後世者也，其齟齬固宜。

以不求於當時，而期於身後者，與許君之有心用世，隱然對襯，而文氣高遠；行文至「齟齬固宜」處，用筆頓住，語鋒再折回第二段迴應許君，云：

若夫智謀功名之士，窺時俯仰，以赴勢物之會，而輒不遇者，乃亦不可勝數。辯足以移萬物，而窮於用說之時，謀足以奪三軍，而辱於右武之國。此又何說哉？嗟乎！彼有所待而不悔者，其知之矣。

以「窺時俯仰」二句應上「慨然自許」二句，「辯」字應上「辯說」，「謀」字應上「智略」，「用說之時」、「右武之國」二句應上「開方略之選」，故以許君不遇爲理不可解。又以「彼有所待而不悔者，其知之矣」呼應第三段「有所待於後世者」，謂有才者未必用，有志者未必合，此理惟有所待而不悔者知之，故寧離世異俗，獨行其意，以樂天安命而已。此語突作逆轉，含蓄不盡，吳北江謂之「用筆尤爲詭變不測」（註五）。按全文敘許君不遇，先從無意於用世者作一頓，復從有意於用世者仍不遇作一折，再以一語逆轉回應於無意用世者，咄然便止，其文勢曲折翻騰，餘味不絕者，劉海峰謂之「感歎深摯，跌蕩昭朗，此等誌文最可愛」者也（註六）。

三、轉合上

有由轉而下，結意有餘者，如〈讀柳宗元傳〉先敘事實，寫八司馬皆天下奇材，以陷於不義，而被欲爲君子之士大夫，羞道而攻之。第三節起，意隨筆轉，曰：

然此八人者既困矣，無所用於世，往往能自強以求列於後世，而其名卒不廢焉。

言八司馬雖不見用，而其後或以文傳，或以詩名，均能立名於後世；結筆則轉回前文，總上結下，云

：「而所謂欲爲君子者，吾多見其初而已；要其終，能毋與世俯仰以自別於小人者少耳，復何議彼哉？」各節筆勢，曲折有致，含意深遠，發人深省。又如〈答姚闢書〉先謝其來見之誠，次讚其文書「詞盛氣豪，於理悖焉者希聞」，第三節則以虛筆翻起，提空立論，云：

> 今冠衣而名進士者，用萬千計，蹈道者有焉，蹈利者有焉。蹈利者則否，蹈道者，則未免離章絕句，解名釋數，遽然自以聖人之術單此者有焉。夫聖人之術，修其身，治天下國家，在於安危治亂，不在章句名數焉而已，而曰聖人之術單此者，皆守經而不苟世者也。守經而不苟世，其於道也幾，其去蹈利者則緬然矣。

荆公以頂眞回文之筆，正反相接之勢，闡述「聖人之術守經而不苟世，近道而遠乎利」之理，昭彰明暢；而出其不意，遞轉遞深之格局，吳北江曰「轉接處筆筆不測」（註七）。文末所謂「觀足下固已幾於道，姑汲汲乎其可急，於章句名數乎徐徐之。則古之蹈道者，將無以出足下上，足下以爲何如？」則勢重語急，結語以頓筆戛然而止，使文章有翻瀾變化，收意高絕之妙。

又有總攝全文，收束有力者，如〈請杜醇先生入縣學書一〉，一、二段爲泛論，先寫爲人師者，有益人倫教化，地位重要；三段文義遞深，言古之君子，深明「天之有斯道，固將公之，而我先得之，得之而不推餘於人，使同我所有，非天意，且有所不忍也」，故「有歸之以師之重而不辭。」四段始揭出作意，「願先生留聽而賜臨之，以爲之師，不與古之君子者異意也」，寥寥數語，總攝全文，簡潔有力。又如〈材論〉篇第一、二段分析居上位者不欲材衆，不使其爲之原因有三，其中以「獨以天下爲無材者」最爲可議，乃全篇之引論。第三段則先由正面論述人之有材能，其形無異於衆，必「盡其道以求而試之，…當其所能」，則騏驥與駑駘立判；次由反面闡釋倘用之不得其方，則雖天下利器，亦無異於朽槁之梃，爲全篇主意所在。第四段則藉由古是今非之比較，總束上文，得出「嗚呼！後之在位者，蓋未嘗求其說而試之以實」，「天下之廣，人物之衆，而曰果無材可用者，吾不信也」之結論。文中正反、古今之比較，使文章波瀾層出，而結語迴抱全文，用力作收，尤見精神。

第三節　布局靈活

《曾文正公日記》云：「古文之道，布局須有千巖萬壑，重巒複嶂之觀，不可一覽而盡，又不可雜亂無章」，荊公謀篇，輒以夾敍夾議、援古證今、正反立說、虛實相生、抑揚互見等方式，交互運用，活潑布局，令人覽之有目不暇接之歎。

一、夾敍夾議

荊公散文或先敍後議，或先議後敍，或敍議夾雜，多見於序跋、雜記、誌銘體散文。先敍後議者，如〈揚州龍興講院記〉首段記興講院之始末。先寫「予少時客遊金陵，浮屠慧禮者從予游」，次述「予既吏淮南，而慧禮得龍興佛舍」，又言允諾慧禮所請，曰「姑成之，吾記無難者」，終筆於「後四年，…賴州人蔣氏之力，既皆成，盍有述焉」，依時間先後記敘；二段則發議論，歎佛者能成事功而儒者不能者，以其無私。前段先爲全文立案，預留下半篇議論之地步；後段則與上半篇相應，說明事成之理由，故能脈絡貫通，自成篇法。先議後敘者，如〈節度推官陳君墓誌銘〉，起筆云：「天能以人之所難得者與人，人欲以天之所難得者徇天，而天不少假以年，則其得有不暇乎修爲，其爲有不至乎成就，此孔子所以歎夫未見其止而惜之者也」，用議論貫串事實，傷痛陳君早逝，天不假年。二段則敘寫陳君名姓、官職及志行，並謂「其材與志如此，使天少假以年，則其成就當如何哉？…此亦所謂未見其止而可惜者也」，以事實回顧前半議論，使通篇融成一氣。敘議夾雜者，如〈廣西轉運使屯田員外郎蘇君墓誌銘〉，採倒敘筆法，自慶曆五年，蘇君爲歐陽脩開罪而被貶官寫起，論贊其仁智雙全之節行，次始逆溯其世系、歷官等，有突顯墓主重要大節之作用與效果。篇中忽敘忽議，用筆極變化之妙。至如〈游褒禪山記〉，前云：「余與四人擁火以入，入之愈深，其進愈難，而其見愈奇」，文末又云：「四人者廬陵蕭君圭君玉、長樂王回深父、余弟安國平父、安上純父」，是爲補述。可見安石敘議夾雜之作，或順敘、或倒敘、或補敘，變化多端。

二、援古證今

安石窮究經傳百家之言，爲文謀篇，輒見其援據古今，以爲敷佐，然後發揮議論，自暢其說。其布局有古今一轍，借古證今者，如〈上時政疏〉云：

> 自古人主，享國日久，無至誠惻怛憂天下之心，雖無暴政虐刑，加於百姓，而天下未嘗不亂。自秦以下，享國日久者，有晉之武帝、梁之武帝、唐之明皇，此三帝者，皆聰明智略有功之主也。享國日久，內外無患，因循苟且，無至誠惻怛憂天下之心，趨過目前而不爲久遠之計，自以禍災可以無及其身，往往身遇災禍而悔無所及。

援引晉梁唐三帝以天下晏然，不謀久遠之計，遂致災禍及身之古例，「伏惟皇帝陛下，有恭儉之德，…然享國日久，此誠當惻怛憂天下，而以晉梁唐三帝爲戒之時」，作爲今日治國之炯戒。又如〈再辭同修起居注狀二〉云：

> 昔鄭以伯石爲卿則辭，太史退則又使之命己，命己則又辭焉，三辭而後受策，於是子產始惡其爲人。夫子產所以惡之者，不以其飾辭讓而無忠實之志乎？臣之蒙恩，雖出於無求，然始則託辭讓之名以煩恩朝廷，終則徼一日之利以忘前言之信，推事考情，亦何以異於伯石？

以伯石辭官爲鑑，再用折筆，遞到自己，唯恐蹈其「飾辭讓而無忠實之志」之罪名，如此自能徵信於人，達成辭官之目的。又有古是今非，借古諷今者，如〈進說〉篇云：

> 古之時，士之在下者，無求于上，上之人日汲汲惟恐一士之失也。古者士之進，有以德，有以才，有以言，有以曲藝，今徒不然，…古之所謂德者、才者，無以爲也，古之所謂言者，又未必應今之法度也。…然而今之士，…豈皆不如古之士，自重以有恥乎？

首先引述古代取士之法，次由今古相較，突顯異同，反映今不如古，不僅使文生妙義，且布局自然活潑矣。可見安石或寓天下興亡治亂之感，或寄個人處世襟抱，皆撫今懷古，以斷行事。另有援引古事，以證立言者，如〈王霸〉篇舉齊桓公劫於曹沫之刃，而許歸其地、晉文公伐原，三日而退之事，證明「霸者之心爲利」之說；〈中述〉篇引孔子不以宰予、冉有不善而廢其善，證明聖人「所求於人者薄」；據管仲施天下，孔子小之，證明聖人「辨是與非者無所苟」，皆能徵引舊事，闡發新義，益見安石謀篇之靈活巧妙。

三、正反立說

以正反兩面佈局，乃文家之常法，使讀者但見其精神，不見其重複，此其用法之巧處。如荊公〈進戒疏〉云：

竊聞孔子論爲邦，先放鄭聲，而後曰遠佞人；仲虺稱湯之德，先不邇聲色，不殖貨利，而後曰用人惟己。蓋以謂不淫耳目於聲色玩好之物，然後能精於用志；能精於用志，然後能明於見理；能明於見理，然後能知人，能知人，然後佞人可得而遠。忠臣良士，與有道之君子，類進於時，有以自竭，則法度之行，風俗之成，甚易也。若夫人主……不能早自戒於耳目之欲，至於過差，以亂其心之所思，則用志不精，用志不精，則見理不明，見理不明，則邪說詖行，必窺間乘殆而作，則其至於危亂也，豈難哉？

先以孔子、仲虺爲例，正面論述戒於耳目之欲，舉事皆宜之效果；次由「若夫」起句，反面說明淫於聲色玩好之物，貽害無窮之禍患，前者曰「甚易也」，後者謂「豈難哉」，斷語斬釘截鐵，足以振聾發聵。正反二說，全從一意化出，且層疊發議，聯綴緊密，足見安石謀篇神完氣足之功力。又如〈上曾參政書〉云：

> 論者或以爲事君使之左則左，使之右則右，害有至於死而不敢避，勞有至於病而不敢辭者，人臣之義也。某竊以爲不然。上之使人也，既因其材力之所宜，形勢之所安，則使之左而左，使之右而右可也。上之使人也，不因其材力之所宜，形勢之所安，上將無以報吾君，下將無以慰吾親；然且左右惟所使，則是無義無命，而苟悅之爲可也。

自「論者或以爲」以下，爲正面之意，乃一般成見；「某竊以爲不然」以下，則由反面著筆，言人所未言。謂上之使人，若不能因材力所宜，形勢所安，則於公於私皆有未當。如此正反交錯行文，有益於深化文意，顯豁題旨，使布局收曲折變化之效。

四、虛實相生

荊公謀篇，有虛實映帶，分之爲各段，合之仍爲一篇，舒卷自如者也。或前虛後實，如〈通州海門興利記〉，首段以讀〈豳〉詩有感起筆，橫空發議，歎豳之人帥其家人戮力以聽吏，吏推其意以相民，非法度有以歐之，乃「欲善之心出於至誠而已」，又謂「有士於此，能以豳之吏自爲，而不苟於其民，豈非所謂有志者邪？」次段則實寫沈君海門之政，「隄北海七十里，以除水患，遂大浚渠川，驪取江南，以灌義寧等數鄉之田，……寬禁緩求，以集流亡，少焉，誘起之以就功」，言其「苟誠愛民而有以利之」，故荆公稱讚許君「可謂有志矣」，「不愧於豳之吏」。按荆公先不言沈君之具體作爲，僅以豳吏愛民作比，此從虛處先占地步；次由實處迴抱上文，透顯沈君有志，無愧於豳吏之主意，虛實相涵，首尾貫串，前人謀篇所謂前不突，後不竭者，即善用此法也。

或前實後虛，如〈上執政書〉，首段言其仕宦及家庭狀況，云：「其始仕也，苟以得祿養親爲事耳，…今親闈老矣，日夜惟諸子壯大，未能有以室家，而某之兄嫂，尙皆客殯而不葬也，其心有不樂於此」，實寫其以家貧親老，不得不爲祿仕之窘境；次段謂其爲疾病所侵，請「歸印有司…以待放紲而歸田里」，亦緊承上文，從實處落筆；三段徵引〈裳裳者華〉、〈魚藻〉之詩，言古之君子，於士各因其材而有之，以提空之筆，爲下文伏脈；末段則歸結全文，云：「伏惟執事察其身之疾而從之盡其才，憐其親之欲而養之盡其性，以完朝廷寬裕廣大之政，而無使〈裳裳者華〉、〈魚藻〉之詩作於時，則非獨於某爲幸甚！」使虛實相合，互爲呼應，如人之氣血，流行無滯，則篇法自然生動。

五、抑揚相間

安石散文，凡論人之美惡，與事之成敗，多抑揚互用，相映成趣。如〈上運使孫司諫書〉，指責孫司諫下令吏民出錢購人捕鹽之過，前面持論嚴確，後面放寬一步，贊揚對方「常立天子之側，而論古今所以存亡治亂，將大有爲於世，而復之乎二帝三王之隆」，乃位尊權重之棟才；並爲對方預設立場，謂「顧欲爲而不得者也，如此等事，豈待講說而明？今退而當財利責，蓋迫於公家用調之不足，其勢不得不權事勢而爲此，以紓一切之急也」；隨即語鋒一轉，駁倒其所占地位，云「雖然；閣下亦過矣，非所以得財利，而救一切之道」；進而抑損對方「於古書無所不觀，觀之於書，以古已然之事驗之，其易知較然，不待某辭說也。枉尺直尋而利，古人尚不肯爲，安有此而可爲者乎」，直言無諱。荊公先揚後抑之筆法，於保留上大夫顏面，及揭露舉措失當之間，紆徐進退，既不失書信之格式禮儀，又不掩作者鯁直之情性，章法起伏變化，耐人尋味。

又如〈書李文公集后〉，自李翺非難董仲舒〈仕不遇賦〉起筆，按董氏之賦，旨在歎不遇，而李翺不以爲然，故安石謂文公「論高如此」，及觀於史，知文公一不得職，則詆宰相以自快，荊公更興「今吾於人也，聽其言而觀其行，言不可獨信久矣」之歎，首段即用兩層筆墨將李翺言行接連否定。次段意隨筆轉，曰：

> 雖然，彼宰相名實固有辨，彼誠小人也，則文公之發，爲不忍於小人可也，爲史者獨安取其怒之以失職邪？世之淺者，固好以其利心量君子，以爲觸宰相以近禍，非以其私則莫爲也。

藉由「宰相名實固有辨，彼誠小人也」一語，反襯文公詆之有理，形象高潔；並進而迴抱上文，反論史家眼光淺近，信僞迷眞，數語之間，抑揚往復，極富轉折變化。第三段起，語歸正意，頌贊文公「方其不信於天下，更以推賢進善爲急，一士之不顯，至寢食爲之不甘，蓋奔走有力，成其名而後已。士之廢興，彼各有命，身非王公大人之位，取其任而私之；又自以爲賢，僕僕然忘其身之勞也，豈所謂知命者邪？」謂其忘身之勞，爲士之不遇竭力奔走，乃不知命之人，一以呼應起筆，二以推出結論，謂「文公之過也，抑其所以爲賢歟？」自開篇「惜其自待不厚」，至肯定文公爲賢者之結語，作者運用先抑後揚之筆法，起伏照應，布局靈妙無匹。

結語

荆公爲文謀篇嚴整，結構精巧，無論總提分應、先斷後論、或一意貫說，皆能言之有序，首尾圓合，故衆理雖繁，而無倒置棼絲之亂。起承轉合或平鋪直敘、或轉折遞進，使文章在馳騁中有頓挫，頓挫中有馳騁，予人層出不窮，波瀾疊生之感。且其行文夾敘夾議、援古證今、正反立說、虛實相生、抑揚相間等方法之錯綜運用，尤使布局跌宕多姿，靈活生動。

【附註】

註一　見茅坤評選《王荆公文鈔・給事中孔公墓誌銘》卷十二。

註二　見同前文鈔〈靈谷詩序〉第六卷。

註三　見吳闓生纂《古文範》下編二，〈度支副使廳壁題名記〉。

註四　見《唐宋文舉要》甲編卷七，〈讀孟嘗君傳〉。

註五　見《古文範》下編二，〈泰州海陵縣主簿許君墓誌銘〉。

註六　見吳闓生纂《古文辭類纂》卷四十八，〈王介甫泰州海陵縣主簿許君墓誌銘〉海峰先生評。

註七　見《古文範》下編二，〈答姚闢書〉。

第十章 王荊公之散文修辭

文章之要，始於意而成於辭；辭者，所以達意也。子曰：「言之無文，行而不遠」(註一)，故作品之精確生動，乃語言藝術之基本條件。是以本章特述荊公散文修辭，以見其神理氣味之所依附焉。

第一節 簡潔質樸，概括精當

清姚範《援鶉堂筆記》云：「王介甫文可謂惜墨如金。」言荊公下筆爲文，高度凝鍊，以簡潔著稱。所謂簡潔，非省筆也，省筆則應言而不言，簡潔則不遺其意，斯爲善也。翻檢荊公《文集》，其運用揭過、類推、鍊字、變化詞性諸法，使言簡意賅，無繁冗之累。如〈讀孟嘗君傳〉，一以「嗟乎！孟嘗君特雞鳴狗盜之雄耳，豈足以言得士」，二以「擅齊之强，得一士焉，宜可以南面而制秦，尚何取雞鳴狗盜之力哉？」三以「夫雞鳴狗盜之之出其門，此士之所以不至也」，數語駁倒「世皆稱孟嘗君能得士」之千古定案，究其篇幅，不及百字，文意卻層出不窮，故今人王文濡謂之「善於用短」

（註二）。又如〈孔子世家議〉云：

夫仲尼之才，帝王可也，何特公侯哉？仲尼之道，世天下可也，何特世家哉？處之世家，仲尼之道，不從而大；置之列傳，仲尼之道，不從而小。

文僅尺幅，而特出新意，故清劉熙載謂之「半山文善用揭過法，只下一、二語，便可掃卻他人數大段，是何簡貴」（註三）。又如〈性情〉云：

舜之聖也，象喜亦喜，使舜當喜而不喜，則豈以為舜乎？文王之聖也，王赫斯怒，當怒而不怒，則豈足以為文王乎？舉此二者而明之，則其餘可知矣。

〈勇惠〉云：

勇過於義，孔子不取，則惠之過於義，亦可知矣。

荊公舉一、二性質相同之例證，以概其餘，此一類推法，迥異於世之振奇矜能者，旁徵博引以為富，而使筆間自有裁制。另如〈答姚闢書〉云：

刖足下三年於茲，一旦犯大寒，絕不測之江，親屈來門，出所為文書，與謁並入，若見貴者然。……觀足下固已幾於道，姑汲汲乎其可急於章句名數乎？徐徐之，則古之蹈道者，將無以出足下上，足下以為何如？

以「犯」、「絕」、「屈」、「出」諸字，描摹不同動作，突顯姚君涉險遠道而來之誠意；又以「汲汲乎」、「徐徐之」對舉，蘊含勸導姚君近道遠利之深意；均用字簡鍊精確，使形象生動，文旨昭晰，故吳北江譽爲「簡覈老當，無一枝辭贅字，且能涵茹意思於筆墨之外，最可法」（註四）。至如〈石仲卿字序〉云：

子生而父名之，以別於人云爾。冠而字，成人之道也。奚而爲成人之道也？成人則責其所以成人，而不敢名之，於是乎命以字之。

「名」、「字」、「成人」諸字辭，既是名詞，又具動詞意義，一字二用，手法經濟。乃安石變化詞性，使文章簡潔可誦，而讀者亦不以約言有不盡之憾。

荆公爲文，遣辭用字，樸素平實，不務雕琢；而以敘事說理，蘊含新鮮活潑之思想；謀篇布局，逐層推進，轉折跌宕，使文章不致流於敷淺、平淡。如〈莊周〉篇上云：

世之論莊子者不一，而學儒者曰：……而好莊子之道者曰：……夫儒者之言善也，然未嘗求莊子之意也；好莊子之言者，固知讀莊子之書也，然亦未嘗求莊子之意也。昔先王之澤，至莊子之時竭矣。天下之俗，譎詐大作，……莊子病之，思其說以矯天下之弊，而歸之於正也。……既以其說矯弊矣，又懼來世之遂實吾說，……於是又傷其心，於卒篇以自解。……然則莊子豈非有意於天下之弊，而存聖人之道乎？……莊子用其心，亦二聖人之徒矣；然而莊子之言，不得不爲邪說比者，蓋其矯之過矣。……今之讀者，挾莊以謾吾儒，曰：「莊子之道，大哉！非儒之所能及知也。」不知求其意，而以異於儒者爲貴，悲夫！

語辭樸實平易，無一字晦澀艱難，而前半篇，自「學儒者曰」，至「未嘗求莊子之意也」，比較論說之異同；由「昔先生之澤」迄「而存聖人之道乎」，正反對襯今昔之差異，以醒出「莊子意在矯天下之弊，而歸之於正」之主題。後半篇起於「莊子用其心」，終乎文末，語勢層遞推進，曲折抑揚，歸結世人「未嘗求莊子之意」之新論，可見荆公散文之樸素平易，何嘗不由艱辛化出？清方東樹嘗云「古人不廢煉字法，然以意勝而不以字勝，故能平字見奇，常字見險，陳字見新，樸字見色」（註五），殆謂此也。

荆公作文，能以概括精當之一字或數字，作通篇之關鍵，使論理雖繁，而頭緒愈整。以〈上仁宗皇帝言事書〉爲例，云：

顧内則不能無以社稷爲憂，外則不能無懼於夷狄，天下之財力日以困窮，而風俗日以衰壞，四方有志之士，諰諰然常恐天下之久不安。此其故何也？患在不知法度故也。……方今之法度，多不合乎先王之政故也。……然而臣顧以謂陛下雖欲改易更革天下之事，合於先王之意，其勢必不能者，何也？以方今天下之人才不足故也。……然則方今之急，在於人才而已。

在灑灑萬餘言中，而以推行先王之政法，重視陶冶人才之術爲要旨。故通篇以「法」、「才」爲字眼，而人才乃行法根本，是以尤其側重「才」字，發揮其培養人才之理論。儲欣謂之「胸中有無數見解，無數話頭，卻尋出『人才不足』四字統之。架堂立柱，將胸中所欲言者，盡數納入，隨機大發，故議論愈多，頭緒愈整，由其以一線貫千條也。」（註六），沈德潛亦云：「行文部勒有方，如大將將數十萬兵而不亂，中間絲聯繩牽，提挈起伏，照應收繳，動嫻法則，極長篇之能事」（註七），對安石精於概括之語言，均表肯定。又如〈慈谿縣學記〉云：

天下不可一日而無政教，故學不可一日而亡於天下。……士朝夕所見所聞，無非所以治天下國家之道，其服習必於仁義，而所學必皆盡其材；一日取以備公卿大夫百執事之選，則其材行皆已素定，而士之備選者，其設施亦皆素所見聞而已，不待閱習而後能者也。……此二帝三王所以治天下國家，而立學之本意也。……林君肇至，則曰：「古之所以爲學者，吾不得而見，而法者吾不可以毋循也；雖然，吾之人民，於此不可以無教」，即因民錢作孔子廟，如今之所云，……吾固信其教化之將行，而風俗之成也。

此以「政教」二字爲一篇樞紐，又以「教」一字爲樞紐中之眼目，乃全篇筋脈所注，故能首尾貫串，一絲不亂。他如〈上田正言書〉以「疑」一字爲眼目，〈芝閣記〉以「時」一字爲全文線索，〈給事中孔公墓誌銘〉以「節」一字會通各段等，足見安石善以提綱挈領，執簡馭繁之術，精點文眼，不僅使文不散漫，意有歸宿；且有助於讀者心領神會，明其意之所主。

第二節　迴環往復，遒緊文勢

荆公散文，常以首尾蟬聯，上遞下接，形成遒勁緊湊之氣勢。〈王深父墓誌銘〉云：

吾友深父，書足以致其言，言足以遂其志，志欲以聖人之道爲己任，蓋非至於命，弗止也。

以「言」、「志」二字，疊用於前句之末，後句之首，有連環頂針，遞接緊湊之趣味。〈答段縫書〉云：

愚者固忌賢者，賢者又自守，不與愚者合，愚者加怨焉。

以「賢者」、「愚者」二字，如頂針續麻，上一句啓後，下一句承先，榫接綿密，有迴環相生之美。〈材論〉篇云：

如能用天下之材，則能復先王之法度，能復先王之法度，則天下之小事無不如先王時矣。

以「能復先王之法度」七字，頂接疊用，故語如貫珠，一氣呵成。唐荊川嘗云：「半山文字，其長在遒緊」（註八），殆與頂針之使用頻繁，關係密切。

善用回文，使上下詞序迴環往復，情味盎然者，亦荊公習用之修辭方法。〈答姚闢書〉云：

今冠衣而名進士者，用萬千計，蹈道者有焉，蹈利者有焉；蹈利者則否，蹈道者則未免離章絕句，解名釋數，遽然自以聖人之術單此者有焉。夫聖人之術，修其身，治天下國家，在於安危治亂，不在章句名數焉而已。而曰：聖人之術單此者，皆守經而不苟世者也。守經而不苟世，其於道也幾，其去蹈利者，則緬然矣。

以「蹈道者」、「蹈利者」兩句，上下回環，引出「聖人之術」一意；再以「聖人之術」遞接疊用，將文勢轉回「章句名數」一語，照應前文。文末則返復迴旋，回歸於「蹈道」、「蹈利」，以總結全文。荊公以下句末尾與上句開頭近似，中間字詞則略具彈性之作法，今謂之寬式回文，其來往激盪，反覆解析，有助於議論之深化顯豁，與文句之勁健有力。〈荀卿〉篇云：

是故能使人知己愛己者，未有不能知人愛人者也；能知人愛人者，未有不能知己愛己者也。

以「知己愛己」、「知人愛人」兩句，前後迴旋，若將上句依序倒回，即爲下句，此一嚴式回文，頗能見出二者間相互依存之關係。至如〈度支副使廳壁題名記〉云：

夫合天下之眾者財；理天下之財者法，守天下之法者吏也。吏不良則有法而莫守，法不善則有財而莫理，有財而莫理，則阡陌閭巷之賤人，皆能私取予之勢。

前三句與後四句之詞序，適相迴環，形成回文之妙，且文氣緊湊，有咄咄逼人之勢。故吳至父曰：「筆力豪悍，有崩山決澤之觀」（註九）。

安石爲文，又有連綴若干句型相似，而含意輕重有序之文句，將欲强調之文辭，置於最前或最後之作法。其依序遞升前進者，如〈致一論〉云：

萬物或不有至理焉，能精其理，則聖人也；精其理之道，在乎致其一而已。致其一，則天下之物可以不思而得也。

以「至理」、「精其理」、「致其一」三層遞升而進，將擬强調之語辭「致一」置於最後，揭示題旨，形成語勢踵接，句句進逼之力量。〈夔說〉篇云：

夫擊石拊石，而百獸率舞，非夔之所能爲也；爲之者眾臣也；非眾臣之所能爲也，爲之者舜也。

文章層遞而進，步步導出「使百獸率舞，樂音和美，爲舜也」之主意，有吸引讀者懸念，欲知下文之效果。依序遞降者，如〈王霸〉篇云：

王之與霸，其所以用者則同，而其所以名者則異，何也？蓋其心異而已矣。其心異，則其事異；其事異，則其功異；其功異，則其名不得不異也。

採遞降而退之句式，將語辭之重心所在——「王之與霸，蓋其心異」置於最前，魚貫而下，文勢遒勁而緊湊。〈太平州新學記〉云：

蓋繼道莫如善，守善莫如仁；仁之施自父子始，積善而充之，以至於聖而不可知之謂神，推仁而上之，以至於聖人之於天道，此學者之所當以爲事也。

前二句由「繼道」、「守善」至「仁」採遞降式；後數句由「施仁」、「積善」、「成聖」之於「天道」採遞升式，如此迴環相連之複式層遞，使讀者如遊群山邃谷，極盡迂迴曲折之妙。荆公散文，亦輒將字詞間隔疊用，藉由反復强調，以申作者語重心長之深意。〈論館職劄子一〉云：

事有當論議者，召至中書，或召至禁中，令具條奏是非利害，及所當設施之方；及察其才可以備任使者，有四方之事，則令往相視問察，而又或令參覆其所言是非利害，其所言是非利害，雖不盡中義理可施用，然其於相視問察能詳盡而不爲蔽欺者，即皆可以備任使之才也。

句中「所言是非利害」、「相視問察」、「可以備任使」諸語，間隔疊用，反復寄意，建言懇切。〈

曾公夫人萬年太君黃氏墓誌銘〉云：

> 夫人十四歲無母，事永安府君至孝，修家事有法。二十三歲，歸曾氏，不及舅水部府君之養。以事永安之孝，事姑陳留縣君；以治父母之家，治夫家；事姑之黨，稱其所以事姑之禮，事夫與夫之黨，若嚴上然；眎子慈，眎子之黨若子然。

先後將「事永安之孝」、「事姑」、「治家」、「眎子」諸語，間隔反復。如此巧用類疊，茅坤謂之「語如貫珠如連環」（註一〇），不僅彰顯墓主之婦德懿行；且前呼後應，增添文辭遒勁之力。

荊公鍊句，靈動多姿，往往將各式迴環往復，遒緊文勢之方法，綜合運用，以曲盡文情。〈答聖問賡歌事〉云：

> 夫欲股肱之喜，蓋有其道矣。蓋人君率其臣，作而興事，在明乎善而已。明乎善，在所爲法以示人者當；所爲法以示人者當，乃股肱之所以喜也。股肱喜而事功成，事功成而能屢省以不急廢；此又股肱之所以喜也。

文中「明乎善」、「事功成」、「所爲法以示人者當」等句，首尾相銜，聯珠環扣，並將「股肱之喜」三復斯言，此一項針、疊句之融合活用，形成一股不容間斷之氣勢，故吳北江謂之「文勢峻急直下，句句勁挺，此荊公長處」（註一一）。又如〈進戒疏〉云：

> 竊聞孔子論爲邦，先放鄭聲，而後曰遠佞人；仲虺稱湯之德，先不邇聲色，不殖貨利，而後曰用人惟已。蓋以謂不淫耳目於聲色玩好之物，然後能精於用志，能精於用志，然後能明於見

理，能明於見理，然後能知人，能知人然後佞人可得而遠。

先由「精於用志」、「明於見理」、「能知人」三句，聯珠頂針，依次遞進，點出「遠佞人」之主旨；繼以「不淫耳目於聲色玩好之物」至「佞人可得而遠」一段，照管前文所言「遠佞人」、「不邇聲色」，詞序排列適成迴環。荆公將頂針、層遞、回文交錯使用，故語勢緊湊，文章警策有力，達到形式與內在和諧統一之藝術成就。

第三節 形象生動，富感染力

作文期於達意，而意有未易直達者，或指物以明理，或假物以寓情，使理明情顯，意無不達，此文家所以廣用譬喻之故也。荆公或用譬喻，生動形象。如〈上凌屯田書〉云：「伏惟執事，性仁而躬義，憫艱而悼厄，窮人之俞跗也」，以行仁政之官，比喻爲古之良醫，擬況貼切而形象躍然，其喻辭由「……也」取代，屬隱喻一類。〈王補之墓誌銘〉云：「當熙寧初，所謂質直好義，不爲利疚，於回而學不厭者，予獨知君而已」，將墓主比擬爲安貧樂道，好學不倦之顏回，生動地描摹傳主情性之特質，而喻體、喻詞全省，是爲借喻。或用比附，將抽象之義理具體化。如〈原教〉云：

善教者，浹於民心，而耳目無聞焉，以道擾民者也。……擾之爲言，猶山藪之擾毛羽，川澤之擾鱗介也，豈有制哉？自然然耳。

以善教者化民之術，譬如山藪之於飛鳥，川澤之於游魚，乃自然耳。適當之明喻，令讀者聞之，印象深刻。〈原過〉篇云：「財失復得，曰『非其財』，且不可；性失復得，曰『非其性』，可乎？」將抽象之回復善性，譬諸具體之財失復得，於立論上加强輔證，其省去喻詞之略喻法，確有增强說服力之感染效果。〈材論〉篇云：

駑驥雜處，飲水食芻，嘶鳴啼齧，求其所以異者蓋寡。及其引重車，取夷路，不屢策，不煩御，一頓其轡而千里已至矣。當是之時，使駑馬並驅，則雖傾輪絕勒，敗筋傷骨，不舍晝夜而追之，遼乎其不可以及也。……古之人君知其如此，故不以天下爲無材，盡其道以求而試之。試之之道，在當其所能而已。

以騏驥與駑駘，譬喻人材之良窳，寄寓其形莫辨，唯有求而試之，而材與不材立判之理。荆公以只有喻依，喻體、喻詞省略之借喻法，化高遠抽象之論述，爲淺易親切之事理，頗能激起共鳴。

荆公爲文，每就字句中相反二義映襯比較，以顯豁文義，增强語氣。其中德位對舉者，如〈君子齋記〉云：

有天子諸侯卿大夫之位，而無其德，可以謂之君子，蓋稱其位也；有天子諸侯卿大夫之德，而無其位，可以謂之君子，蓋稱其德也。

針對「君子」之名，分就「稱其位」、「稱其德」之不同觀點，予以闡述，屬於雙襯。貪廉淫潔對峙者，如〈知人〉篇云：「貪人廉，淫人潔，佞人直，非終然也，規有濟焉爾」，對嗜貪，好淫、姦佞之人，卻以與本質相反之詞語，「廉」、「潔」、「直」，加以形容，其反襯作法，有強化矛盾，突顯立論之效果。有無對立者，如〈答司馬諫議書〉云：

> 如君實責我以在位久，未能助上大有爲，以膏澤斯民，則某知罪矣；如曰今日當一切不事事，守前所爲而已，則非某之所敢知。

將「大有爲」與「一切不事事」兩種迥然不同之情境，分予描述，形成強烈之對襯，更彰顯溫公之議論失據。壯衰對比者，如〈答呂吉甫書〉云：「然公以壯烈，方進爲於聖世，而某苶然衰疢，特待盡於山林」，經由兩兩對襯，鮮明地刻劃出荊公歸隱後日益老病之形象，足令讀者爲之鼻酸。

荊公於散句之中，有時亦穿揷排比整齊之句型，以壯闊文勢，寬廣文義，進而加深讀者印象。單句排比者，如〈上時政疏〉云：「伏惟皇帝陛下，有恭儉之德，有聰明睿智之才，有仁民愛物之意」，〈揚州進士滿夫人楊氏墓誌銘〉云：「夫人…又能以惠振其貧，以慈撫其賤，以恕掩其過，以篤悛其悍」，皆以結構單一，相似之句法，接二連三形容人物之特質，使其神態狀貌，呼之欲出；而語勢磅礡，傾瀉而下，具有強烈之感染性。複句排比者，如〈論館職劄子一〉云：

> 所謂敷納以言，明試以功，用人惟己；闢四門，明四目，達四聰者，蓋如此而已。

以兩個字數不同之複句排比，噴薄而出，氣勢鼎盛，且於整齊規律之句式中，又有適度之變化，既不致流於刻板呆滯，又能宣暢文情。〈貴池主簿沈君墓表〉云：

> 其文章不多見，而獨爲士友所知；其行義不博聞，而獨爲親黨所稱；其政事不大傳，而獨爲邑

人所記。

三個複句排比，正反映襯，易於激起共鳴，令人對墓主事蹟行誼之不傳於後，深感惋惜；且句法靈動，可避免單一排比多渲染共相而忽略殊相描寫之缺點。

爲避免文字之平板爛熟，荆公亦倒裝字句之次弟，以喚起注意，增加文章之波瀾。倒字者，如〈餘姚縣海塘記〉云：「又信其言之行而不予欺也」，將述詞之「欺」字，與止詞之「予」字顛倒。〈答李參書〉云：「夫教之育之，某之所以望於人也，足下曾某之望乎」，以述詞之「望」字與止詞之「某」字倒置。〈答姚闢書〉云：「卒觀文書，詞盛氣豪，於理悖焉者希聞」，用述詞「悖」字，與補詞「理」字倒裝，有加强「理」字之效果，與上述諸例同出於語文上自然之「隨語倒裝」，亦即因爲古今語法之不同，而產生倒裝之用法。倒句者，如〈贈尙書刑部侍郎王公墓誌銘〉云：「公，…龍川，其所卒也；以刑部侍郎贈公者，曰公之子光祿卿」，此爲因果複句，「其所卒也」、「公之子光祿卿」應在前，「龍川」、「以刑部侍郎贈公者」應在後，乃出自作者之刻意安排，以「變言倒裝」，呼應前文，以雋美之句法，深刻讀者之印象。又如〈鄭公夫人李氏墓誌銘〉云：

夫人歡終日，如未嘗貧，故侍郎亦以自安於困約之時，如未嘗富。

同爲因果複句，應將「如未嘗貧」、「如未嘗富」，移置「歡終日」、「自安於困約之時」之前；且「歡終日」、「自安於困約之時」二句，本身亦爲倒裝。此一倒句中有倒字，且貧富形成强烈對比之作法，使筆勢有力，情味益出。

又荊公習用設問，以製造文章氣勢，增進文章餘韻。自問自答者，如〈上仁宗皇帝言事書〉云：

天下之財力日以困窮，而風俗日以衰壞，四方有志之士，諰諰然常恐天下之久不安，此其故何也？患在不知法度故也。

以「此其故何也」，綴於數個敘事句之後，可提振語氣，引起讀者注意，再簡要概括地作答，故能印象深刻。〈通州海門興利記〉云：

有士於此，能以豳之吏自爲，而不苟於其民，豈非所謂有志者邪？以余所聞，吳興沈君興宗海門之政，可謂有志矣。

以「有志者邪」提問，「可謂有志矣」作答，此呼彼應，論點清晰。問而不答者，如〈熙寧字說序〉云：「雖然，庸詎非天之將興斯文也，而以余贊其始？」〈王霸〉篇云：「故王者之道，雖不求利之所歸，霸者之道，不主於利；然不假王者之事以接天下，則天下孰與之哉？」答案雖不言而自見。此一設問用法，多置於句末，可增添文章之委婉蘊藉，使讀者尋繹斯言，興味不絕。至如〈擬上殿劄子〉云：

陛下嘗試詳延大臣左右，及天下智能才諝之士，使其論先王所以成天下之才者，其設施之方如何？今之所以異於先王而人才不足者，其咎安在？其欲變而通之以合於先王之意，而成天下之才，宜何施爲而可？

以連續三個設問，簇擁而出，氣勢浩蕩，不僅顯示神宗求治之殷切；且於數個疑問句中，爲「法先王、成人才」之主旨預爲伏筆，有喚起注意，加強語勢之效果。〈石門亭記〉云：

所以作亭之意，其直好山乎？其亦好觀遊眺望乎？其亦於此問民之疾憂乎？其亦燕閒以自休息於此乎？其亦憐夫人之刻，暴剝偃踣，而無所庇障，且泯滅乎？

接連五個設問，翻湧而下，不但波瀾壯闊，避免一味直陳之平淡；且能引起讀者極欲一睹爲快之念。他如〈復讎解〉、〈推命對〉、〈對難〉等篇，甚且通篇以問答方式爲之，足見安石善用設問，以引導讀者思路；並於一問一答中，如抽絲剝繭般，深刻甚論說，增強其說服力。

第四節　錯綜變化，音韻和諧

散文雖不如韻文、駢文之重視聲調格律，但疊字、平仄相間、虛詞、字句長短錯綜之妥切運用，每使音調抑揚，節奏緩促，形成聽覺上之美感。

荊公散文屢用疊字。用之句首者，如〈送陳升之序〉云：「煦煦然仁而已矣，孑孑然義而已矣」，〈答姚闢書〉云：「姑汲汲乎其可急於章句名數乎？徐徐之，則古之蹈道者，將無以出足下上」；用之句中者，如〈上相府書〉云：「以副吾君吾相，於設官任材休息元元之意」。〈行述〉云：「古之人僕僕然勞其身，以求行道於世」；用之句尾者，如〈孔處士墓誌銘〉云：「遇人恂恂，雖僕奴不忍以辭氣加焉」，〈風俗〉云：「所謂積之涓涓，而洩之浩浩，如之何使斯民不貧且濫也」。各個疊字之用，不獨狀貌入神，使精神興致全見於兩言；且聲調和諧，氣格暇整，足見工妙也。其中以疊字兼動詞者，如「汲汲」、「徐徐」；兼名詞者，如「元元」；兼形容詞者，如「煦煦然」、「孑孑然」、「恂恂」；兼副詞者，如「僕僕」、「涓涓」、「浩浩」，運用手法靈活，使意象更加生動傳神；而疊字兼有雙聲疊韻者，尤使口吻調利，情調協合。

世人但知四六之句，以平間仄，以仄間平，非可混施迭用；不知散體之文，亦應注意平仄變化，以增益音律之叶暢。觀諸荊公散文，對句固然平仄相應，對偶與散行合流者，亦平仄相間，以收抑揚頓挫，輕重諧調之效。如〈詩義序〉云：

放其言之文，君子以興焉；循其道之序，聖人以成焉。

以「放其言之文」對「循其道之序」，「君子以興焉」對「聖人以成焉」，意義、詞性皆對仗工整，且上文「仄平平平平，平仄仄平平」對下文「平平仄平仄，仄平仄平平」，以平仄相間，使文章音律諧暢。〈君子齋記〉云：

位在外也，遇而有之，則人以其名予之，而以貌事之；德在我也，求而有之，則人以其實予之，而心服之。

以上下文兩兩對仗，句式整齊，形成音節之和諧勻稱；其中「遇而有之」、「求而有之」之「遇」、「求」二字，平仄相對，「貌事之」、「心服之」亦平清仄濁，讀來鏗鏘有力。〈建昌王君墓表〉云：

少則貧窶，事親盡力，未嘗佚游慢戲，以棄一日，亦未嘗屈志變節，以辱於一人。故雖食蔬水飲，而父母有歡愉之心，徒步藍縷，而鄉人有畏難之色。

於奇偶相生，長短不一之句式中有勻稱，而「佚游戲慢」與「屈志變節」、「食蔬水飲」與「徒步藍縷」、「父母有歡愉之心」與「鄉人有畏難之色」，在聲律上都互為呼應，以平聲之輕颺與仄聲之抑沈交錯出現，故能抗墜合節。

虛字之妥善運用，對散文之聲調節奏亦極重要。清代唐彪《讀書作文譜》云：「文章句調不佳，總由平仄未協，與虛字用之未當也」，按虛字可調和文句之音節，文必虛字備而後作者之神態出。荊公有〈傷仲永〉云：

王子曰：「仲永之通悟，受之天也。其受之天也，賢於材人遠矣；卒之為眾人，則其受於人者不至也。彼其受之天也，如此其賢也；不受之人，且為眾人；今夫不受之天，固眾人，又不受之人，得為眾人而已邪？」

其中層波疊浪，意思迭轉者，全賴虛字承遞。前段首為仲永神傷，「卒之為眾人」之「卒」字，將仲永不使學之扼腕，溢於言表；「卒之為眾人」後，聯以「則」字，則使文氣較為宛轉；後段繼以警惕世人，「且為眾人」、「固為眾人」、「得為眾人」之「且」、「固」、「得」三字，分別意味才智不同之三層次，將三者相承、遞退之關係表述得十分清楚，乃聯句助詞使辭達有味，神韻盡出之範例。他如發語助詞「夫」字、斷句助詞「也」、「矣」、「而已邪」等，均對逼出作者神態，使氣脈流轉、音徐句足，助益匪淺。故林景亮《評註古文讀本》亦謂本篇「末節一筆一曲，其得力在善用虛字」。〈度支郎中葛公墓誌銘〉云：

葛，公姓也；源，名也；宗聖，字也。處州之麗水，公所生也；明州之鄞，後所遷也。貫，曾大考也；遇，大考也；旺，累贈都官郎中，考也。進士，公所起也。洪州左司理參軍……此公之所閱官也。…此公之爲司理參軍也。…此公之爲主簿也。…此公之爲縣於雍丘也。…公所葬也，…公元配也，…公子也，…公女也，……請銘以葬者，良嗣也。…而爲之銘者，臨川王某也。

全篇計首至尾，共用三十一個「也」字，句式與歐陽修〈醉翁亭記〉連用二十一個「也」字相彷；然〈醉翁亭記〉林雲銘評之曰「絕構」（註一二），本篇則茅坤謂之「以『也』字爲一篇線索，雖段落明晳，而文格卑弱。此體雖別爲之，終屬卑陋，非西京以前文格」（註一三），可見用虛字難，稍一不慎，即易流於氣脈柔弱，節奏緩散矣。

散文既不似詩歌之多用對仗、押韻，又非如駢文常見排比、典故，誠如明代歸有光《文章指南》云：「文字一篇之中，須有數行整齊處，有數行不整齊處」，是以散文句法若能長短相間，奇偶相生，則自然節奏參差，錯落有致。荆公如〈熙寧字說序〉云：

文者，奇偶剛柔，雜比以相承，如天地之文，故謂之文；字者，始於一二，而生生至於無窮，如母之字子，故謂之字。其聲之抑揚開塞，合散出入；其形之衡從曲直，邪正上下，內外左右，皆有義，皆本於自然，非人私智所能爲也。

「文者」以下五句，與「字者」以下五句，句型相似；且「其聲之抑揚開塞」與「其形之衡從曲直」對仗工整，由於對偶與散行之相間而生，使句式錯綜變化，文氣舒卷自如。〈靈谷詩序〉云：

龍蛇之神，虎豹翬翟之文章，楩柟豫章竹箭之材，皆自山出；而神林鬼冢魑魅之穴，與夫仙人釋子恢譎之觀，咸附託焉。

前四句與後三句，皆於數長句後，以短句頓住，使讀者感覺靈動巧妙，文亦不致散漫而無檢束。〈石門亭記〉云：

夫所以作亭之意，其直好山乎？其亦好觀遊眺望乎？其亦於此問民之疾憂乎？其亦燕閒以自休息於此乎？甚亦憐夫人之刻，暴剝偃踣，而無所庇障且泯滅乎？

隨著五個疑問句之由短漸長，文意一層深似一層，至最後一長句，安石曲折悠遠之慨，達到頂點，音節之錯落參差亦發揮得淋漓盡致，顯見荊公善以長短之句，與文情、聲情緊密結合，僅此一端，即足以傲眾矣。至如〈國子博士致仕李君墓誌銘〉云：

君善爲詩，當時名人柳開、王禹偁稱之。少貧，幾不自存；有姊氏以田宅，弗取也，及爲吏，所在推誠愛人，人至不忍有所負以累君，去輒遮泣挽留。及老矣，而彌貧，然終不以貧故變節有所取。

則二字、三字、四字、六字、十字、十一字句，錯綜運用，隨言短長，短句表態，長句抒情，可謂極盡散體參錯不齊，變化莫測之能事。

結　語

綜觀荆公散文修辭之特色，確已充分掌握散文所應具備之散體性、形象性、音樂性之藝術特徵。散體性方面：荆公行文簡潔，用語質樸，不以能文為勝，而以立意為宗，故辭簡而義豐，字樸而生色，乃荆公散體文字成功之關鍵；尤以短篇文字，深刻廉悍，無堅不摧，被喻為短章聖手。形象性方面：安石善於點眼，以概括精當之一字或數字，為全文之線索，突顯一篇之精神，使敘事說理雜而不越，生氣遠出。又能靈活運用頂針、回文、層遞、類疊諸法，使其散文有迴環相生，語如貫珠之美；而環環相扣，步步加深之句式，尤使文勢遒緊，咄咄逼人，乃荆公句法上之特色。至於譬喻、映襯、排比、倒裝、設問之各種作法，對荆公散文之明晰事理，加深讀者印象，增強說服力，均有莫大之助益。音樂性方面：疊字、對偶、虛字、錯綜等用法，不僅使聲韻和諧，節奏抑揚，且有助於氣脈之流轉，逼出作者之神態；而駢散相濟，寓整齊於參差之中，使音節錯落變化，誠如曾文正公所謂「聲之抑揚詘折，足以發文之指趣」者也（註一四）。

【附註】

註　一　見《左傳・襄公廿五年》子曰。

註　二　見民國王文濡《宋元明文評註讀本・讀孟嘗君傳》第一冊。

註　三　見清劉熙載《藝概》卷一。

註　四　見《唐宋文舉要・甲編》卷七，王介甫〈答姚闢書〉。

註　五　見清方東樹《昭昧詹言》卷廿一。

註　六　見《唐宋八大家類選》卷二。

註　七　見《唐宋八大家文讀本》卷廿九。

註　八　見《王荆公文鈔・上人書》卷四。

註　九　見《吳評古文辭類纂・度支副使廳壁題名記》卷五十七。

註一〇　見《王荆公文鈔・曾公夫人萬年太君黃氏墓誌銘》卷十五。

註一一　見《唐宋文舉要・甲編》卷七。

註一二　見《古文析義》卷五〈醉翁亭記〉林西仲評註。

註一三　見《王荆公文鈔》卷十三〈度支郎中葛公墓誌銘〉茅坤評。

註一四　見《古文辭類纂》中冊卷四十八王介甫〈泰卅海陵縣主簿許君墓誌銘〉後，吳至父曰：「張廉卿初見曾文正公朗誦此篇，聲之抑揚詘折，足以發文之成趣。廉卿言下大悟，自此研討王文，筆端日益精進。」

第十一章 結論

安石爲中國文學史上一顆熠耀璀燦之恒星。除以其文雄視千古，與政績表現、學術地位鼎足而立，少有人能出其右外；荆公以一代宗匠，示人學步之跡，亦爲其名垂不朽之主因。本章因分爲二節，綜論安石散文卓越之成就與影響，作爲全文之結束。

第一節 卓然自成一家

曾滌生《家訓・諭紀澤》云：「凡大家名家之作，必有一種面貌，一種神態，與他人迥不相同。……若非其貌其神，敻絕群倫，不足以當大家之目」，綜觀本論文所言，荆公散文名列八大，自成一格者，正以其具有以下之特徵：

一、作品面貌分期變化

荆公散文隨其政治活動之變遷，有三期之轉變。早年爲蘊蓄時期，家學淵源之深厚，父兄師友之教言，與古文家之唱和，對安石之砥礪廉隅，致力詩文革新，均有啓發及奠基之作用；隨父宦遊，歷任地方官職，尤蘊蓄其治國濟民之宏願與藍圖。此時作品，如〈與王逢原書〉、〈上運使孫司諫書〉、〈與劉原父書〉、〈上仁宗皇帝言事書〉、〈度支副使廳壁題名記〉等，流露出作者意氣風發之氣概，與經邦淑世之熱忱。位居宰輔之變法時期，更張改造之繁複，使安石必須隻手力抗群議之紛呶，〈本朝百年無事劄子〉、〈上五事劄子〉論述荆公推行新政之決心與具體作爲，〈答司馬諫議書〉、〈答曾公立書〉則顯現荆公無畏流俗，擇善固執之氣質。迨乎罷政以後之退隱時期，荆公寄情漁樵，修正經義、注釋佛典，均於是時，詩文因而日趨深婉高古，時露禪機，如〈與沈道原舍人書〉、〈答蔣穎叔書〉等是。顯見荆公豐富多變之生活經歷，有助於其寫作題材之寬廣，與作品風貌之多樣化。

二、富有時代改革精神

荆公匡議時政之作品極多，均能指切當世貧弱而亟待求變之情勢，表露作者積極改革之態度、富國强兵之宏規，及臻於堯舜之治之理想，足爲北宋由興盛轉向衰亡之關鍵時期，存留歷史之見證。其不軌家法，自創經義、注重事功，講尙致用，以及倡言性命，兼融儒釋之言論，則契合宋初疑古與儒釋道合流之學術趨勢，並爲宋學由初期强調通經致用，轉入中期好談性理之夾縫中人物，在北宋學術思想史上享有承先啓後之地位。而荆公貫道、宗經、適用、尊韓、反西崑等文學主張，亦無一不與宋代之古文運動桴鼓相應，顯示荊公散文確能掌握運會之趨向，具有時代精神與意義。

三、以經學爲散文根源

安石以通貫之才識，兼治四部，著作宏富，尤可貴者，在能知所去取，以弘揚儒道，羽翼教化爲依歸。其散文或明引，或暗用，或鎔會變化，做成自家手筆，多源自經術。雖亦嘗效習史公、取法揚雄、追步韓愈、旁涉釋老，以爲寫作立說之活水泉源；然大抵而言，荊公之哲學思想、政治理念、文學主張及作法，多取徑於經典，尤其得力自六經與論孟。故方苞嘗云：「世所稱唐宋八家言之，韓及曾、王，並篤於經學」（註一），蔣復璁亦謂「昌黎爲盧陵及荊公所從出，…但韓之實學，則不能與荊公比矣」（註二），是知荊公散文誠所謂「學人之文」，而非他家所能及也。

四、以致用爲主導之文學觀

安石爲致用文學觀之代表人物。其爲「文」所下之定義、貫道宗經之思想，及選列文統之標準，莫不寄寓其致用之觀點，强調文學對社會教化之功用。對於文以致用之作品，安石均給予極高之評價；否則即視爲「辭」，以爲褊迫陋庳，非作文之本意。甚至對昌黎之「兼通文辭」，宗元之「並取文采」，荊公亦有微辭，可見其堅持「文以適用爲本」說之澈底。此外，荊公亦主張學習並重、文質兼備之文學觀點，强調學識、修養、外在環境給予作家之影響，及文學作品內容與形式統一之必要性；然其「重學」目的之一，在於「志於天下」，且又云「誠使適用，亦不必巧且華」，故倘謂荊公之文學觀，以適用說爲重心，應非過當。

五、多樣之體類風格

荊公之散文，可分奏議、書牘、序跋、論說、傳狀、碑誌、雜記七體，各體以下，又分子目，體式齊備。且各類作品，典型足式者衆多，其中三經義序，方望溪謂之「辭氣芳潔，風味邈然，於歐曾蘇氏諸家外，別開戶牖」（註三），記誌文則黃震譽爲「極其精彩，髣髴昌黎，雖有作者，莫之能及」（註四），均能獨具匠心，領袖群倫。安石爲文又喜突破常格，不拘定式，如書牘體而以論辯之語勢爲之，墓誌文敘議夾雜，雜記文則別求義理以寓襟抱等，皆顯示荊公「自樹立，不因循」之個人風貌。此外，荊公各體散文，如奏議體之雅正明暢，書牘、論說體之峭折勁健，傳誌體之平實簡潔，序跋、雜記體之深婉有味，皆融合作者情志與文體特性，表現多樣之風格，其中尤以流露健拔奇氣之陽剛之美，最能代表荊公散文之風味，與永叔之情韻幽深（註五），子固之茂密安和（註六），皆各異其趣也。

六、峻潔之思想內涵

荊公人品之廉潔高尚，即使批評其變法、新學不遺餘力者，如司馬溫公、朱熹，均一致推崇（註七）。此因安石具有重修身、尙有爲、不同流俗之精神特質，故形諸於文，亦能文如其人，流露高潔之思想。吳北江嘗云：「先大夫嘗謂學詩與文，當從荆公入，以其矜練生硬，足以矯流俗，凡猥浮滑之病也」（註八），其語正足爲荆公文格高尙，不落庸俗之註腳。此外，安石之識見獨特，常以千古隻眼，反駁成說習見，並爲古籍歷史翻案，爲此，劉熙載有云「介甫之文長於掃，故高」（註九）；而其不溺於尋常之文題，於文字議論已到至處，更轉出一段議論，深刻其內容，開展文章規模者，尤顯現荆公之心地超然，思想高遠。故淸代吳振乾《唐宋八大家類選序》云：「奧若韓，峭若柳，宕逸若歐陽，醇厚若曾，峻潔若王，則已分流而別派矣」，除指明五子之文，自成一體，亦可見荆公散文確能深得峻潔之旨也。

七、圓熟之寫作技巧

安石之文極富邏輯性，其謀篇布局，頗具匠心。或總提分應，或先斷後論，或一意貫說，皆能首尾圓合，井然有序，使說理完足，無懈可擊；且善用開闔頓宕，轉折變化之手法，使尺幅蘊有波濤千里之勢。其層次分明，翻瀾起伏之作法，茅坤稱爲「荆公本色」（註一〇）。至於虛實相生、抑揚互見、正反立說等方式之交互運用，尤使布局靈動，令人有層出不窮，目不暇給之歎。荆公又善於運用各種修辭方法，如頂針、回文、層遞、類疊之妙用，使其散文迴環相生，文勢遒緊，有咄咄逼人之態，乃荆公文句上之特色。譬喻、映襯、排比、倒裝、設問等作法，則有助於生動形象，增强說服力。

疊字、對偶、虛字、錯綜之用法，則使文章之聲韻和諧抑揚，節奏錯落變化，充分發揮散體文字之特性。此外，荊公用語簡潔犀利，以短篇最勝，又善點文眼，可見其善於錘鍊語言，振衣挈領之功力。穆堂李紱嘗云：「荊公生平爲文，最爲簡古。其簡至於篇無餘語，語無餘字，往往束千百言，十數轉於數行中。其古至於不可攀躋蹤跡，引而高如緣千仞之崖，俯而深如縋千尋之谿，愈曠而愈奧，如平楚蒼然而萬象無際」（註一一），則荊公散文起伏隨心，修短在手，其寫作技巧已臻於圓熟之境。

荊公散文之卓越表現，使其歷來備受文家之青睞與推崇。明人魏了翁譽其「鍛鍊精粹，誠文家之巨擘」（註一二）貝瓊稱讚「韓之奇，柳之峻，歐陽之粹，曾之嚴，王之潔，蘇之博，各有其體，以作一家之言」（註一三），清代袁枚推許「三蘇之文如出一手，固不得判而爲三；曾文平鈍，⋯⋯又安得與半山、六一較伯仲也」（註一四），近人梁啓超亦云「吾恨不能手寫公全集也」（註一五），則荊公散文雖貫道、宗經之主張，與古文家論點相同；然其內涵、謀篇、遣詞、風格等，顯然更能異采紛呈，獨樹一幟也。

第二節　開啓後人先路

荊公散文自明代朱右編《唐宋六先生集》、茅鹿門編《唐宋八大家文鈔》等，即廣爲流傳，影響深遠。其實，在此之前，宋代如朱熹等理學家之文，嘗受曾鞏、王安石之啓發（註一六），呂祖謙晚年文字體製，人亦疑其學自荆公（註一七）。明初文家宋濂，亦接緒安石「文以適用爲本」之觀點（註一八），迄乎唐宋派之宗師，王愼中、唐順之、茅坤、歸震川等人，主張取法唐宋，規橅秦漢，繼軌唐宋古文開闔、首尾、經緯、錯綜之法以成文，基本上仍傳承韓、柳、歐、曾、蘇、王之精神，與復古派壁壘對峙。如歸熙甫〈亡友方思曾墓表〉，劉海峰謂之「學荆公，爲文折旋有氣」（註一九），可見唐宋派確曾有得於安石。

迨至清代桐城派，取徑於安石之軌轍，愈爲明顯。如侯方域、魏禧、汪婉三家，主張由唐宋文入手，而後及於史漢，爲桐城派之先聲。三人皆宗尚唐宋八子，自侯朝宗之治學歷程，可窺一斑，如《壯悔堂文集序》云：

> 侯子十年前嘗出爲整麗之作，而近乃大毀其向文，求所爲韓、柳、歐、蘇、曾、王諸公，以幾於司馬遷者，而肆力焉。

則安石對侯氏之影響，自不待言。桐城派之三祖—方苞、劉大櫆，論文倡言義法之說，與神氣音節論，觀其所爲，亦曾得力於介甫，如錢大昕〈與友人書〉云：

> 取方氏文讀之，其波瀾意度頗有韓、歐陽、王之規橅，視世俗冗蔓獶雜之作，固不可同日語。

劉大櫆之弟子吳定於〈海逢先生墓誌銘〉亦云：

> （海峰）其才之雄，兼集莊、騷、左、史、韓、柳、歐、曾、蘇、王之能，瑰奇恣睢，鏗鏘絢爛。

是以尤信雄著《桐城文派學述》，亦有「方望溪由宋之歐曾以溯於韓氏，亦兼臨川；劉海峯由宋之臨川以溯於韓氏」之論，則二人爲文曾受安石薰染，各家早有定評。又如桐城派之中興功臣曾國藩，以理學、經濟發爲文章，深得桐城峻潔之旨，其文學主張與風格，有與安石契合處，且嘗謂：

聞此間有工爲古文、詩者，就而審之，乃桐城姚郎中鼐之緒論。其言誠有可取，於是取司馬遷、班固、杜甫、韓愈、歐陽修、曾鞏、王安石及方苞之作，悉心而讀之，……然後知古之知道者，未有不明於文字者也。（註二〇）

則荊公文章予曾氏模範之跡，啓發其文學思想者，無容置疑。此外，桐城派之旁支—陽湖派，其創始人惲敬亦師法安石，文章奇峭峻悍（註二一）；湘鄉派之傳人張裕釗、王樹枏等，則昕夕諷誦，出入半山（註二二），顯見荊公散文之影響，歷數百年而不絕，其開啓後人先路之功，豈容忽哉？

安石散文之成就與貢獻，固爲文家所推重，然而不滿其文章者，亦不乏其人。魏禧嘗謂「學介甫易失之枯」（註二三），施均甫〈復陳子餘書〉亦云：「退之健勁而骨肉適均，介甫則骨多而肉少，其轉折頓挫，雖似退之，往往筋横氣促，無舒卷自然之樂」（註二四），方望溪〈書退之平淮西碑後〉又曰：「碑記墓志之有銘，猶史有論贊，…其指意辭事，必取之本文之外，…此意惟韓子似之，…介甫近之矣，而氣象則過隘」（註二五），蓋荊公散文過於重視文學之實用價值，不免說理有餘，文采不足，而有偏枯之憾；且其文追跡韓愈，簡拗瘦硬過之，而雄奇變化之規模稍狹，斯有前人之論。然此正介甫所以不同於唐宋七子者，況其造詣所至，已足以沾溉後學矣。

【附註】

註一　見《方望溪先生全集．答申謙居書》卷六。

註二　見蔣復璁《宋史新探．王安石評傳》。

註三　見《吳評古文辭類纂．王介甫詩義序》卷十。

註四　見《黃氏日抄》卷六十四。

註五　見《昭昧詹言》卷十二。

註六　見《古文辭通義》卷三。

註七　見《溫國文正公文集》卷六十三，〈與呂晦叔簡〉云：「介甫文章節義過人處甚多」；《宋史．王安石傳》論曰亦引朱熹云「安石以文章節行高一世，而尤以道德經濟爲己任」，卷三二七。

註八　見《古文範．周禮義序》下編二。

註九　見《藝概．文概》卷一。

註一〇　見《王荆公文鈔．答段縫書》卷五。

註一一　見《王荆公年譜考略》卷首之三引。

註一二　見《王荆文公詩箋註》魏了翁序。

註一三　見《唐宋六家文衡序》。

註一四　見《小倉山房文集．書茅氏八家文選》卷三十。

註一五 見《王荆公・荆公之文學（上）》第廿一章。

註一六 見錢基博《中國文學史》云：「開南宋朱熹理學之文者，曾鞏、王安石也。」

註一七 見張白山《王安石・詩文創作的影響》。

註一八 見《古文辭通義》卷八引韓止仲〈澗泉日記〉云。

註一九 見《吳評古文辭類纂・歸熙甫亡友方思曾墓表》碑誌類下編十。

註二〇 見《曾文正公全集・文集・致劉孟容書》。

註二一 見劉師培〈論文雜記〉。

註二二 見劉聲木《桐城文學淵源考》卷十。

註二三 見柯敦伯《王安石・文學》第十七章第二節所引。

註二四 見《古文辭通義》卷五引。

註二五 見《古文辭通義》卷十七引。

參考書目舉要

本書目分爲七類，各類排列原則有三：一、王安石原著與有關論述置前，非以安石爲主題而與本論文相關之著作列後；二、民國以前之作家，書目依作品性質、作者朝代分別；民國以後之作家，則依作品性質、論文章次排列；三、作品性質與論文章次均同者，則依出版時間先後爲準；並將本地出版品位前，大陸及外國論著列後。茲將各類書目臚列如左：

一、專書類

臨川先生文集　王安石　中央圖書館藏宋紹興廿一年王玨刊本
臨川先生文集　王安石　中央圖書館藏明嘉靖廿五年應雲鷟刊本
臨川先生文集　王安石　中央圖書館藏明嘉靖卅九年何遷撫州刊本
臨川先生文集　王安石　中央圖書館藏明萬曆四十年石城王荆岑光啓堂刊本
臨川集補遺　陸心源等輯　華正書局（民六四年一版）

王安石全集　王安石　河洛圖書出版社（民六三年初版）
王文公文集　王安石　上海中華書局（民六三年）
王荊公文鈔　茅坤評選　台灣中華書局（民五九年一版）
箋註王荊文公詩　李壁註劉辰翁評點　廣文書局（民六〇年再版）
王荊公詩文沈氏注　沈欽韓　新文豐出版公司（民六八年初版）
王安石文　褚東郊選註　台灣商務印書館（民六三年一版）
王安石詩文賞析　雷啓洪選析　廣西人民出版社（一九八六年一版）
三經新義輯考彙評——詩經、尙書、周禮　王安石撰程元敏彙評　國立編譯館（民七五、七六年初版）
詩義鉤沈　王安石撰邱漢生輯校　北京中華書局（一九八二年一版）
王荊公年譜考略　蔡鳳翔　洪氏出版社（民六四年初版）
王荊國文公年譜　顧棟高　藝文印書館求恕齋叢書第七種（民六六年初版）
王荊公　梁啓超　台灣中華書局（民六七年三版）
王安石　柯敦伯　台灣商務印書局館（民五四年初版）
唐宋八大家評傳——王安石　張榮民　台灣學生書局（民六七年修訂再版）
王安石評傳　羅克典編著　國家出版社（民七二年初版）

王荊公新傳　褚伯思　渤海堂文化公司（民七七年初版）
王安石傳　三浦國雄著　楊自譯　國際文化公司（民七八年初版）
王安石——中國十一世紀時的改革家　鄧廣銘　北京人民出版社（一九七五年一版）
王安石　張白山　上海古籍出版社（一九八六年一版）
王安石　龔延明　北京中華書局（一九八六年初版）
王安石政略　熊公哲　台灣商務印書館（民五三年初版）
王安石新法研述　帥鴻勳　正中書局（民六二年初版）
王安石的新政　楊泰懋　世界書局（民七〇年初版）
王安石變法　漆俠　上海人民出版社（一九六一年四刷）
王安石新法の研究　（日）東一夫　風間書房（昭和四五年初版）
王安石的經世思想　夏長樸　台大中研所博士論文（民六九年）
王安石之教育思想　張先覺　文史哲出版社（民七一年初版）
王安石的聖人論　夏長樸　國科會研究報告（民七五年）
王安石的政治思想之研究　黃碧端　台大政研所碩士論文（民七六年）
王荊公詩析論　李康馨　台大中研所碩士論文（民六七年）
王荊公詩研究　李燕新　高雄師院國研所碩士論文（民六七年）

王安石字說之研究　黃復山　台大中研所碩士論文（民七一年）
宋代儒釋調和論及排佛論之演進─王安石之融通儒釋及程朱學派之排佛反王　蔣義斌　台灣商務印書館（民七七年初版）
李覯與王安石研究　夏長樸　大安出版社（民七八年初版）
王安石研究　林敬文　師大國文研究所碩士論文（民六八年）
紀念司馬光、王安石逝世九百週年學術研討論文集　國家文藝基金會、政治大學　國家文藝基金會（民七五年初版）
王安石研究文輯　江西省紀念王安石逝世九百週年籌委會編印（民七五年影印版）

二、經史類

十三經注疏　藝文印書館（民四四年影印本）
宋代經學之研究　汪惠敏　師大書苑（民七八年初版）
史記　司馬遷　洪氏出版社（民六三年初版）
漢書　班固　鼎文書局（民六八年二版）
續資治通鑑長編　李燾　世界書局（民七二年四版）
通鑑紀事本末　袁樞　台灣商務四部叢刊正編（民六八年一版）

三朝名臣言行錄　朱熹　台灣商務四部叢刊正編（民六八年一版）

東都事略　王稱　文海出版社（民六八年初版）

名臣碑傳琬琰集　杜大珪　文海出版社（民五八年初版）

宋史　脫脫　鼎文書局（民六九年初版）

宋史紀事本末　陳邦瞻　三民書局（民六二年再版）

宋論　王夫之　里仁書局（民七四年初版）

宋會要輯本　徐松　世界書局（民六六年再版）

桐城文學淵源考　劉聲木　世界書局（民六三年再版）

宋代興亡史　張孟倫　台灣商務印書館（民五四年一版）

宋代政教史　劉伯驥　台灣中華書局（民六〇年初版）

宋史新探　蔣復璁　正中書局（民六四年四版）

宋史研究論叢　宋晞　中國文化大學出版部（民六九年初版）

宋史研究集第十七輯　國立編譯館主編　國立編譯館（民七七年初版）

宋史　方豪　中國文化大學出版部（民七七年新二版）

國史大綱　錢穆　台灣商務印書館（民七九年修訂十六版）

中國經學史　馬宗霍　台灣商務印書館（民六八年六版）

中國學術思想史　鄺士元　里仁書局（民六九年初版）
中國學術思想史論叢（四）、（五）　錢穆　東大圖書公司（民七二、七三年再版）
中國政治思想史　蕭公權　中國文化大學出版部（民七七年新四版）
中國歷代政治得失　錢穆　東大圖書公司（民七八年七版）
中國文化史　陳登原　世界書局（民七八年六版）
宋人軼事彙編　丁傳靖　台灣商務印書館（民七一年二版）
郡齋讀書志　晁公武　廣文書局（民六八年再版）
直齋書錄解題　陳振孫　廣文書局（民六八年再版）
文獻通考　馬端臨　台灣商務印書館（民七六年一版）
四庫全書總目提要　紀昀　台灣商務文淵閣四庫全書（民七二年初版）
鐵琴銅劍樓藏書目錄　瞿鏞　廣文書局（民五六年初版）
善本書室藏書志　丁丙　廣文書局（民五六年初版）
中國善本書目提要　王重民輯錄　明文書局（民七三年初版）

三、子　類

荀子集解　王先謙集解　世界書局（民五一年初版）

老子崇寧五注　嚴靈峰輯校　成文出版社（民六八年初版）
法言　揚雄　台灣中華書局（民七二年四版）
河南程氏遺書　朱熹輯　台灣商務印書館（民六七年一版）
朱子語類　賀瑞麟校刻　文津出版社（民七五年初版）
困學紀聞　王應麟　中文出版社（民七一年初版）
鶴林玉露　羅大經　台灣開明書店（民六四年三版）
黃氏日抄　黃震　台灣商務文淵閣四庫全書（民七五年初版）
涑水紀聞　司馬光　世界書局（民七一年三版）
邵氏聞見前錄　邵伯溫　廣文書局（民五九年初版）
邵氏聞見後錄　邵博　廣文書局（民五九年初版）
曲洧舊聞　朱弁　世界書局（民七六年初版）
春渚紀聞　何薳　新文豐出版公司（民七四年初版）
捫詩新話　陳善　新文豐出版公司（民七四年初版）
夢溪筆談　沈括　台灣商務印書館（民七二年五版）
能改齋漫錄　吳曾　木鐸出版社（民七一年初版）
避暑錄話　葉夢得　新文豐出版社公司（民七四年影本）

容齋隨筆　洪邁　大立出版社（民七〇年初版）
老學庵筆記　陸游　世界書局（民六一年初版）
宋人劄記八種　俞文豹等　世界書局（民六九年再版）
宋元學案　黃宗羲　世界書局（民七二年四版）
池北偶談　王士禎　台灣商務印書館（民六五年初版）
十駕齋養新錄　錢大昕　台灣商務印書館（民四五年重印本）
宋學概要　夏君虞　華世出版社（民六五年一版）
兩宋思想述評　陳鐘凡　華世出版社（民六六年一版）
宋明理學概述　錢穆　台灣學生書局（民七六年第三刷）

四、集　類

朱文公校昌黎先生集　韓愈　台灣商務四部叢刊正編（民六八年一版）
河東先生集　柳開　台灣商務四部叢刊正編（民六八年一版）
小畜集　王禹偁　台灣商務四部叢刊正編（民六八年一版）
河南穆公集　穆修　台灣商務四部叢刊正編（民六八年一版）
范文正公集　范仲淹　台灣商務四部叢刊正編（民六八年一版）

歐陽文忠公集　歐陽修　台灣商務四部叢刊正編（民六八年一版）
溫國文正司馬文集　司馬光　台灣商務四部叢刊正編（民六八年一版）
直講李先生文集　李覯　台灣商務四部叢刊正編（民六八年一版）
文豐類藁　曾鞏　台灣商務四部叢刊正編（民六八年一版）
蘇東坡全集　蘇軾　世界書局（民七四年五版）
豫章黃先生文集　黃庭堅　台灣商務四部叢刊正編（民六八年一版）
朱文公文集　朱熹　台灣商務四部叢刊正編（民六八年一版）
方望溪先生文集　方苞　台灣商務四部叢刊正編（民六八年一版）
惜抱軒全集　姚鼐　世界書局（民四九年初版）
小倉山房文集　袁枚　廣文書局（民六一年初版）
曾文正公全集　曾國藩　世界書局（民六七年三版）
正續文章軌範　謝疊山批選　廣文書局（民五九年初版）
才子古文讀本　金聖歎批注　老古文化公司（民七〇年二版）
唐宋文醇　清高宗御選　台灣中華書局（民七三年二版）
唐宋八大家古文　沈德潛評註　新文豐出版公司漢文大系三、四（民六七年初版）
唐宋八大家文鈔　張伯行選　台灣商務印書館（民五五年一版）

古文約選　和碩輯　台灣中華書局（民五八年一版）
古文辭類纂注　姚鼐編　世界書局（民七二年五版）
經史百家雜鈔　曾國藩編　世界書局（民七一年三版）
吳評古文辭類纂　吳闓生評　台灣中華書局（民六〇年一版）
古文範　吳闓生纂　台灣中華書局（民七三年二版）
唐宋文舉要　高步瀛選注　復文圖書出版社（民七六年初版）
宋元明文評註讀本　王文濡選註　廣文書局（民七〇年初版）
古文觀止　王文濡校勘　台灣中華書局（民七七年十二版）
評註古文讀本　林景亮評註　台灣中華書局（民五八年一版）

五、詩、文論類

文心雕龍註　劉勰　明倫出版社（民六〇年初版）
苕溪漁隱叢話　胡仔　世界書局（民六五年三版）
文則　陳騤　莊嚴出版社（民六八年初版）
文章精義　李塗　莊嚴出版社（民六八年初版）
文章辨體序說　吳訥　長安出版社（民六七年初版）

文體明辨序說　徐師曾　長安出版社（民六七年初版）
文章指南　歸有光　廣文書局（民七四年再版）
歷代詩話　何文煥　藝文印書館（民七二年四版）
續歷代詩話　丁仲祜　藝文印書館（民七二年四版）
昭昧詹言　方東樹　漢京文化公司（民七四年初版）
初月樓古文緒論　呂璜　台灣中華書局（民七六年三版）
藝概　劉熙載　廣文書局（民六九年三版）
論文雜記　劉師培　廣文書局（民五九年影印本）
韓柳文研究法　林紓　廣文書局（民六九年三版）
讀書作文譜　唐彪　偉文圖書公司（民六五年序）
古文筆法百篇　李扶九編選　文津出版社（民六七年初版）
涵芬樓文談　吳曾祺　台灣商務印書館（民六九年四版）
文學研究法　姚永樸　廣文書局（民七〇年五版）
古文辭通義　王葆心　台灣中華書局（民七三年二版）
文法津梁　宋文蔚編　蘭台書局（民七二年再版）
古文析義合編　林雲銘評註　廣文書局（民七八年七版）

實用文章義法　謝無量　華正書局（民七九年初版）
中國文學批評資料彙編　國立編譯館主編　成文出版社（民六七年初版）
古文通論　馮書耕　金千仞　中華叢書編審委員會（民五五年初版）
中國散文論　方孝岳　清流出版社（民六〇年初版）
駢文與散文　蔣伯潛　世界書局（民六四年三版）
中國散文藝術論　李正西　貫雅文化公司（民八〇年初版）
文章例話　周振甫　蒲公英出版社（？年）
文體論　薛鳳昌　台灣商務印書館（民六六年二版）
文體論纂要　蔣伯潛　正中書局（民六八年二版）
體裁與風格　蔣伯潛　世界書局（民七一年四版）
古代散文文體概論　陳必祥　文史哲出版社（民七六年初版）
中國古代文體學　褚斌杰　台灣學生書局（民八〇年修訂增補版）
散文結構　方祖燊　邱燮友　福記文化圖書公司（民七四年三版）
修辭鑑衡　王構　台灣商務印書館（民二八年初版）
修辭學　黃慶萱　三民書局（民七五年增訂初版）
修辭學　沈謙　國立空中大學（民八一年再版）

字句鍛鍊法　黃永武　台灣商務印書館（民七七年十一版）
中國文法講話　許世瑛　台灣開明書店（民七一年修訂一六版）
古書虛字集釋　裴學海　泰盛書局（民六六年初版）
韓愈研究　羅聯添　台灣學生書局（民七〇年增訂再版）
歐陽修的治學與從政　劉子健　新文豐出版公司（民七三年補正再版）
唐宋古文八家概述　吳孟復　安徽教育出版社（一九八五年一版）
唐宋八大家散文技法　朱世英　郭景春　長江文藝出版社（一九八九年一版）
唐宋八大家鑑賞辭典　闕永禮主編　北岳文藝出版社（一九八九年一版）
唐宋八大家　吳小林　黃山書社（一九九〇年二刷）
桐城文派學述　尤信雄　文津出版社（民七八年再版）

六、文學史、批評史類

中國文學史　林傳甲　學海出版社（民三年六版）
中國大文學史　謝无量　台灣中華書局（民五六年一版）
中國文學發展史　劉大杰　華正書局（民六六年初版）
中國文學史　葉慶炳　台灣學生書局（民七六年修訂重版）

中國散文史　陳柱　台灣商務印書館（民六九年六版）
中國散文演進史　倪志僩　長白出版社（民七四年初版）
古文運動史略　邱燮友　師大國文研究所碩士論文（民四八年）
唐宋古文的發展與演變　羅聯添　國科會研究報告（民七一年）
唐宋古文新探　何寄澎　大安出版社（民七九年一版）
唐宋古文運動　錢冬父　上海中華書局（一九六二年一刷）
宋代古文運動探賾　吳必德編著　瑞成書局（民五七年初版）
論北宋的古文運動　黃啓方　國科會研究報告（民六五年）
北宋古文運動探究　黃春貴　文笙書局（民七六年初版）
宋文學史　柯敦伯　上海商務印書館（民二四年再版）
宋代文學　呂思勉　上海商務印書館（民二八年初版）
中國文學講話——兩宋文學　中華文化復興運動推行委員會國家文藝基金管委會主編　巨流圖書公司（民七五年一版）
宋元文學史稿　吳祖湘　沈天祐　北京大學出版社（一九八九年一刷）
中國文學批評史　郭紹虞　明倫出版社（民五八年初版）
中國文學批評史　陳鐘凡　鳴宇出版社（民六八年初版）

中國文學批評史　羅根澤　學海出版社（民六九年再版）
中國文學批評史大綱　朱東潤　台灣開明書店（民七三年七版）
中國文學批評史　王運熙　顧易生主編　上海古籍出版社（一九八六年二刷）

七、期刊報紙論文類

論王安石　林治平　反攻第一三四期（民四四年六月）
集政治家、文學家、教育家、思想家於一身的王荊公　周仲超　江西文獻一二五期（民七五年七月）
王安石生日考　李伯勉　文史第一輯（一九六二年一〇月）
顧震滄撰王荊公年譜正誤　千蕤　學海月刊第一卷第三期（民三三年九月）
王荊公的青年時代　吳蕤　人生廿九卷第四期（民五三年七月）
王荊公澹泊名利　黃紹祖　孔孟月刊第廿五卷第五期（民七六年一月）
王安石的新法　佐伯富講述　邱添生譯記　師大歷史學報第四期（民六五年四月）
王安石、曾布與北宋晚期官僚的類型　劉子健　清華學報第二卷第一期（民四九年五月）
熙寧年間宋遼河東邊界交涉研究——王安石棄地數百里說質疑　李之勤　山西大學學報哲社版一九八〇年第一期

王安石的禪緣　蔡惠明　香港佛教二七七期（民七二年六月）
王安石的晚年退居生活　禮言　古今談五一期（民五八年五月）
王安石著述考　于師大成　中央圖書館館刊新一卷第三期（民五七年一月）
王安石三經新義　于師大成　孔孟月刊第十一卷第一期（民六一年九月）
三經新義修撰通考　程元敏　孔孟學報第卅七期（民六八年四月）
三經新義評論輯類　程元敏　國立編譯館館刊第九卷第二期（民六九年十二月）
三經新義板本與流傳　程元敏　台大文史哲學報第卅期（民七〇年十二月）
王安石周官新義淺釋　劉坤太　河南大學學報哲社版一九八五年第四期
王安石日錄考　丁則良　清華學報第十三卷第二期（民三〇年一〇月）
王安石字說源流考　劉銘恕　師大月刊第二期（民二二年一月）
王安石文集的版本　程弘　文史第五輯（一九六七年三月）
記王荆公詩集李壁箋注的版本　台靜農　輔仁學誌第十期（民七〇年六月）
「王荆文公詩箋註」について　高津孝　東方學第六十九輯
論王安石的哲學思想　周世輔　革命思想月刊第七卷第一、二期（一九五九年八月）
試論王安石的哲學思想　李宗桂　四川師院學報一九八一年第四期
王安石的心學　賀麟　思想與時代月刊第四十一期（民三六年一月）

王安石的性論　賀麟　思想與時代月刊第四十三期（民三六年三月）
王安石的人性論　檀仁傑　協大學報第一期（民三八年）
王安石思想與孟子的關係　夏長樸　江西文獻一二五期（民七五年七月）
王安石的王霸論　王明蓀　中華文化復興月刊第十五卷第二期（民七一年二月）
論王安石的政治思想　周世輔　革命思想月刊第七卷第三期（一九五九年九月）
王安石散文簡述　王師更生　「唐宋文」授課講義（民八一年）
王安石文學革新一隅　張嘯虎　江西社會科學一九八三年第四期
王安石之文論　黃盛雄　靜宜文理學院學報一期（民六七年六月）
王安石的文學觀及其實踐　熊憲光　西南師範學院學報季刊一九八一年第一期
王安石詩文述評　胡守仁　江西師院學報哲社版一九七八年第三期
歐曾王蘇散文比較　吳小林　文史哲雙月刊一九八八年第五期
南宋初期の王安石傳について　近藤一成　東洋史研究第卅八卷第三號（民六八年十二月）
各國對王安石的評價　東一夫　中國史研究動態民七一年第二期
對王安石評價的幾個問題　史蘇苑　中州學刊一九八八年第六期
簡論我國散文的立體、命名與定義　王師更生　孔孟月刊第廿五卷第十一期（民七六年七月）
古文解　張心撫　文學年報第三期（民二六年）

論我國古今散文體類、分合之價值原則及方法　王師更生　孔孟學報第五十四期（民七六年九月）
論中國散文之藝術特徵　王師更生　教學與研究第九期（民七六年六月）
宋代散文簡論　張志烈　四川大學學報哲社版季刊一九七九年第一期
唐宋散文作家與古文運動　王師更生　中華文化復興月刊第廿二卷第三期。（民七八年三月）
唐宋八大家及其散文藝術　王師更生　中國學術年刊第十期。（民七八年二月）
北宋古文學之新發展　倪志僩　東方雜誌復刊第十七卷第四期（民七二年一〇月）
北宋的文論與詩詞論　黃啓方　國立編譯館館刊第六卷第一期（民六六年六月）
宋元明清文論　張須　國文月刊第五十五期（民三六年五月）
自漢魏至宋初的儒佛道三教關係和道學的形成　華山　山東大學學報一九六三年第二期
三教論與宋金學術　饒宗頤　東西文化第十一期（民六八年五月）
兩宋學術風氣之分析　程運　政治大學學報第廿一期（民五九年五月）
宋代士大夫的生活、思想風貌與理學、文學　馬積高　湖南師大社會科學學報一九八八年第五期
孟子的文學價值　包喬齡　孔孟月刊第五卷第十二期（民五六年八月）
對揚雄生平與作品的探索　鄭文　文史第廿四輯（一九八五年第一版）
司馬遷史記敘事法類述　葉龍　新亞生活第八卷二、三期（民五四年六月）
韓昌黎文之文法與布局研究　鄭郁卿　台北工專學報第七期（民六三年五月）

論韓愈文謀篇造句修辭的特色　李英　新潮三十四期（民六六年六月）
論韓退之對唐宋以後文章之影響　梁平居　珠海學院文史學報第二期（民五四年七月）
歐陽修與散文中興　張須　國文月刊第七十六期（民三八年二月）
桐城古文學派小史　魏際昌　河北大學學報一九八三年第四、八四年第一期
王安石與書　于師大成　大華晚報民五七年三月四日
唐宋八大家散文　王師更生　國語日報民七六年二月二二日
跋龍舒本王文公集　趙萬里　文匯報一九六二年八月廿九日

附一　王安石系譜

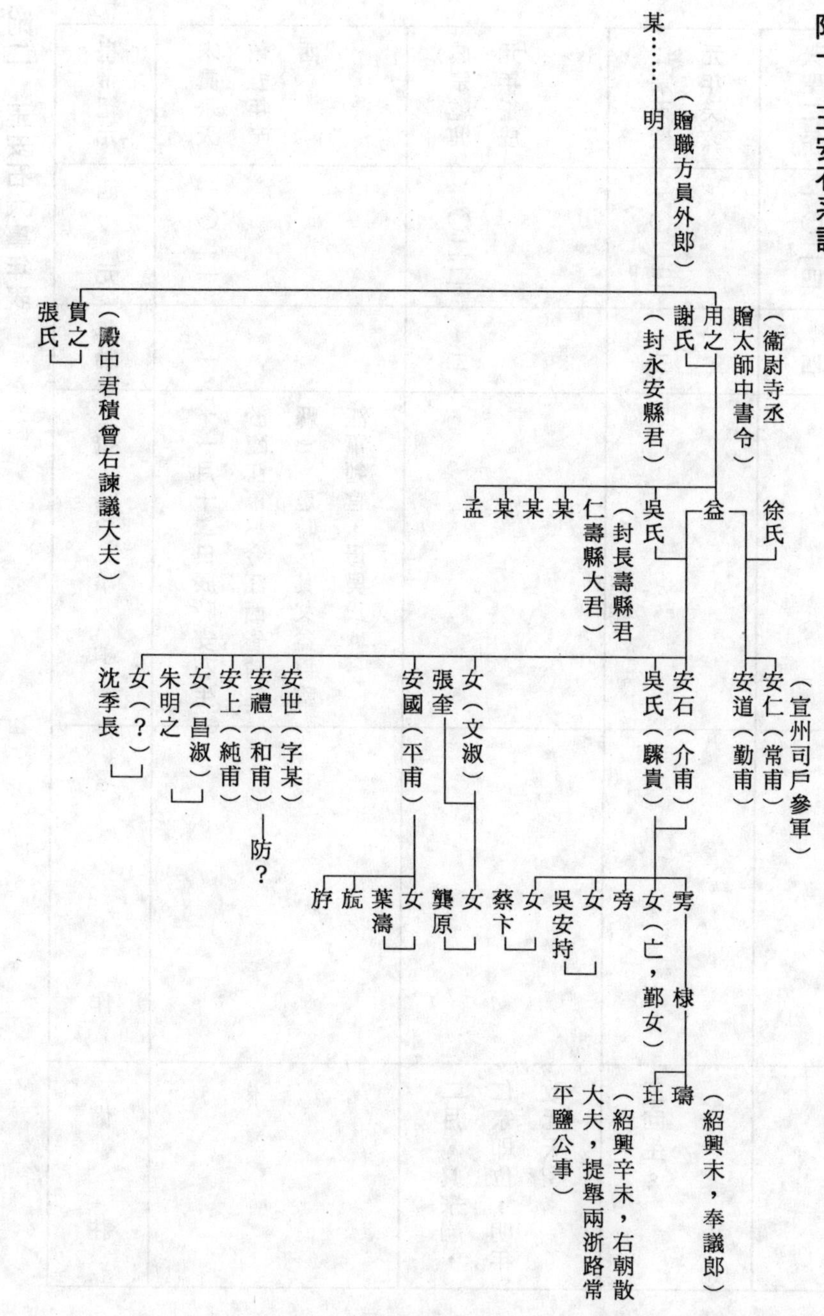
某……明（贈職方員外郎）
用之（衞尉寺丞　贈太師中書令）
謝氏（封永安縣君）
貫之（殿中君積曾右諫議大夫）
張氏
益
徐氏
吳氏（封長壽縣君　仁壽縣大君）
某
某
孟
安仁（宣州司戶參軍）（常甫）
安道（勤甫）
安石（介甫）
吳氏（縣貴）
女（文淑）
張奎
安國（平甫）
安世（字某）
安禮（和甫）
防？
安上（純甫）
女（昌淑）
朱明之
女（？）
沈季長
雱
棣
璹（紹興末，奉議郞）
女（亡，鄞女）
玨（紹興辛未，右朝散大夫，提舉兩浙路常平鹽公事）
旁
女
吳安持
女
蔡卞
女
龔原
女
葉濤
旐
斿

附二　王安石大事年表

皇帝紀元	西元	年齡	重要事項	著作	備註
宋眞宗天禧五年辛酉	一〇二一	一	十一月十二日辰時安石生於臨江軍（今江西省清江縣）。是時，其父益爲臨江軍判官，母吳氏。		
眞宗乾興元年壬戌	一〇二二	二			二月，眞宗崩，仁宗即位，明年改元天聖。
仁宗天聖元年癸亥	一〇二三	三			王回生。
天聖二年	一〇二四	四			

年號	干支	西元	年齡			大事
	甲子					
天聖三年	乙丑	一〇二五	五			
天聖四年	丙寅	一〇二六	六			
天聖五年	丁卯	一〇二七	七			
天聖六年	戊辰	一〇二八	八			弟安國生。叔祖王貫之卒。
天聖七年	己巳	一〇二九	九			沈括生。

天聖八年庚午	一〇三〇	一〇	父益以殿中丞知韶州（今廣東省韶關）		歐陽修進士及第，任西京留守推官。
天聖九年辛未	一〇三一	一一			梅堯臣爲河南主簿。
仁宗明道元年壬申	一〇三二	一二			穆修去世，王令、程顥生。
明道二年癸酉	一〇三三	一三	祖父用之卒，父服喪，解官還臨川。		程頤生。
仁宗景祐元年甲戌	一〇三四	一四			弟安禮生。歐陽修爲館閣校

					勘，西夏國王趙元昊作亂。
景祐二年乙亥	一〇三五	一五			曾布生。李迪罷。
景祐三年丙子	一〇三六	一六	隨父至汴京（開封），始與曾鞏交。		蘇軾生。
景祐四年丁丑	一〇三七	一七	父益爲江寧通判，隨赴江寧（今南京市）。		
仁宗寶元元年戊寅	一〇三八	一八			司馬光進士及第，十月趙元昊自稱大夏皇帝。

寶元二年己卯	一〇三九	一九	父益卒於官，葬於江寧牛首山。遂奉母兄家於江寧。		蘇轍生。十一月，西夏入侵。
仁宗康定元年庚辰	一〇四〇	二〇	寄居金陵		知制誥韓琦在陝西安撫。
仁宗慶曆元年辛巳	一〇四一	二一	外祖母黃氏去世。入京，應禮部試。		曾鞏入太學，受知於歐陽修，西夏入侵，宋軍敗之於好水川。
慶曆三年壬午	一〇四二	二二	登楊寘榜進士第四名。旋簽書淮南（揚州）判官。	〈送孫正之序〉	
慶曆三年	一〇四三	二三	任淮南判官。	〈張刑部詩序〉、〈同學	

癸未				一首別子固〉、〈李通叔哀辭〉、〈上徐兵部書〉、〈憶昨詩示諸外弟〉、〈揚州新園亭記〉	
慶曆四年 甲申	一〇四四	二四	自揚州歸臨川，子雱生。舊制秩滿，許獻文求試館職，安石獨否。	〈外祖母黃夫人墓表〉、〈大中祥符觀新修九曜閣記〉、〈上張太博書〉	曾鞏上書歐陽修，加以推薦。歐陽修爲河北都轉運按察使。
慶曆五年 乙酉	一〇四五	二五	秩滿，解淮南官。	〈曾公夫人萬年太君黃氏墓誌銘〉、〈戶部郎中贈諫議大夫曾公墓誌銘〉	石介卒。黃庭堅生。
慶曆六年 丙戌	一〇四六	二六	至京師，任大理評事。	〈與祖擇之書〉、〈馬漢臣墓誌銘〉、〈丙戌五日	曾鞏再上書於修，稱道安石之賢

				京師作二首〉	。
慶曆七年丁亥	一〇四七	二七	調知鄞縣。	〈鄞縣經遊記〉、〈上相府書〉、〈上杜學士言開河書〉、〈撫州招仙觀記〉、〈胡君墓誌銘〉、〈讀詔書詩〉	尹洙去世。曾肇、蔡京生。
慶曆八年戊子	一〇四八	二八	仍知鄞縣，乞假，葬父於江寧府之蔣山。	〈鄞縣西亭〉、〈先大夫述〉、〈請杜醇先生入縣學書〉、〈慈谿縣學記〉、〈上運使孫司諫書〉、〈餘姚縣海塘記〉、〈別鄞女詩〉	鄞女卒。蘇舜欽去世。歐陽修改知揚州。
仁宗皇祐	一〇四九	二九	知鄞縣。秋冬間，任滿，	〈善救方後序〉、〈太常	秦觀生。

元年己丑			還京師。	〈博士曾公墓誌銘〉、〈省兵〉詩、〈伍子胥廟銘〉	
皇祐二年庚寅	一〇五〇	三〇	居汴京，授殿中丞。是年春，送契丹使出塞。歸省臨川，更赴杭州。	〈信州興造記〉、〈撫州祥符觀三清殿記〉、〈伴送北朝人使詩序〉、〈奉使道中寄育王山長老常坦〉、〈登越州城樓〉	兄安仁進士及第。
皇祐三年辛卯	一〇五一	三一	以殿中丞通判舒州（今安徽懷寧縣）。因文彥博薦，召就館職，辭。	〈乞免就試狀〉、〈贈尚書刑部侍郎王公墓誌銘〉、〈廣西轉運使孫君墓碑〉、〈舒州被召試不赴偶書〉、〈題舒州山谷寺石牛洞泉穴〉	兄安仁卒。

皇祐四年壬辰	一〇五二	三二	任舒州通判。	〈亡兄王常甫墓誌銘〉、〈老杜詩後集序〉、〈李君夫人盛氏墓誌銘〉、〈太常少卿分司南京沈公墓誌銘〉	范仲淹卒。張耒生。
皇祐五年癸巳	一〇五三	三三	任舒州通判。	〈芝閣記〉、〈都官郎中致仕周公墓誌銘〉	祖母謝氏卒。
仁宗至和元年甲午	一〇五四	三四	舒州任滿赴闕，除集賢校理，疏辭四上，改爲群牧司判官。	〈辭集賢校理狀〉、〈通州海門興利記〉、〈遊褒禪山記〉、〈金谿吳君墓誌銘〉、〈朝奉郎守國子博士知常州李公墓誌銘〉、〈贛縣主簿蕭君墓誌銘〉	歐陽修薦公爲諫官，不就，仍復言於朝，爲群牧判官。

至和二年乙未	一〇五五	三五	任群牧司判官。	〈永安縣太君蔣氏墓誌銘〉、〈尚書都官員外郎侍御史王公墓碣銘〉	晏殊去世。曾公亮爲參知政事。
仁宗嘉祐元年丙申	一〇五六	三六	任群牧司判官。上書執政，乞東南一郡。是年始與歐陽修往還。十二月，提點府界諸縣鎭公事。	〈桂州新城記〉、〈上執政書〉、〈與歐陽永叔書〉、〈度支郎中葛公墓誌銘〉、〈奉酬永叔見贈〉	歐公贈詩安石，有〈論水災疏〉，薦安石。
嘉祐二年丁酉	一〇五七	三七	以太常博士，知常州（今江蘇南部）。	〈與劉原父書〉、〈知常州上中書啓〉、〈知常州上監司啓〉、〈左班殿直楊君墓誌銘〉、〈右領軍衞將軍致仕王君墓誌銘〉	歐陽修知貢舉，蘇軾、蘇轍、曾鞏、曾布進士及第。

				、〈仙君縣太君魏氏墓誌銘〉	
嘉祐三年戊戌	一〇五八	三八	知常州。	〈尚書刑部郎中周公墓誌銘〉、〈城陂院興造記〉、〈太常博士楊君夫人金華縣君吳氏墓誌銘〉、〈河東縣太君曾氏墓誌銘〉	
嘉祐四年己亥	一〇五九	三九	自知常州，移提點江東刑獄，是年二月罷榷茶。	〈議茶法〉、〈與王逢原書四〉、〈與崔伯易書〉、〈封魯國公諡勤威馮公神道碑〉、〈京東提點刑獄陸君墓誌銘〉、〈王逢原墓誌銘〉、〈王夫人墓誌銘〉、〈思王逢原〉、	胡瑗卒。李覯卒。王逢原卒。

				〈明妃曲〉、〈酬王詹叔奉使江東訪茶利害〉	
嘉祐五年 庚子	一〇六〇	四〇	提點江東刑獄，五日，召入爲三司度支判官，尋直集賢院。	〈度支副使廳壁題名記〉、〈唐百家詩選序〉、〈上仁宗皇帝萬言書〉、〈哭梅聖俞〉、〈贈光祿少卿趙君墓誌銘〉	梅堯臣卒。歐陽修爲樞密副使。
嘉祐六年 辛丑	一〇六一	四一	奉命同修起居注，公固辭，乃許。六月，知制誥，糾察在京刑獄。	〈辭同修起居注狀〉、〈除知制誥謝表〉、〈上時政疏〉、〈故贈左屯衞大將軍李公神道碑銘〉	司馬光知諫院。歐陽修知參知政事。王安禮登進士第。
嘉祐七年	一〇六二	四二	知制誥。十月，兼同勾當	〈新秦集序〉、〈給事中	

壬寅			三班院。	贈尚書工部侍郎〉、〈孔公墓誌銘〉、〈孔處士墓誌銘〉、〈司農卿分司南京陳公神道碑〉、〈檢校太尉贈侍中正惠馬公神道碑〉	
嘉祐八年 癸卯	一〇六三	四三	知制誥。	〈楚國太夫人陳氏墓誌銘〉、〈甯國縣太君樂氏墓誌銘〉、〈太子太傅致仕田公墓誌銘〉、〈大理寺丞楊君墓誌銘〉、〈虞部郎中贈衞尉卿李公神道碑〉、〈謝景回墓誌銘〉	三月，仁宗崩，英宗即位。八月，母吳氏卒於京師，歸葬江寧府之蔣山。
英宗治平	一〇六四	四四	居江寧守秩。	〈虔州學記〉、〈潭州新	

元年甲辰				學詩并序〉	
治平二年乙巳	一〇六五	四五	七月，喪滿，有旨召赴闕，以病辭。	〈上富相公書〉、〈辭赴闕狀〉、〈王深父墓誌銘〉、〈葛興祖墓誌銘〉	王回卒。
治平三年丙午	一〇六六	四六	居江寧。	〈廣西轉運使李君墓誌銘〉、〈尚書屯田員外郎周君墓誌銘〉、〈荊湖北路轉運判官尚書屯田郎中劉君墓誌銘〉、〈永嘉縣君陳氏墓誌銘〉	契丹改國號曰遼。蘇洵卒。
治平四年丁未	一〇六七	四七	閏三月，除知江寧府。一辭，旋起視事。九月，因曾公亮薦，除翰林學士，	〈太平州新學記〉、〈辭知江寧府狀〉、〈知制誥知江寧府謝上表〉、〈除	正月英宗崩，神宗即位。二月，子雱進士

			未即起，仍居江寧。	翰林學士謝表〉、〈廟議劄子〉、〈尚書祠部郎中集賢殿修撰蕭君墓誌銘〉、〈臨川吳子善墓誌銘〉、〈壽安縣太君李氏墓誌銘〉	及第。
神宗熙寧元年戊申	一〇六八	四八	四月，奉詔越次入對，始至京師，上〈本朝百年無事劄子〉。	〈本朝百年無事劄子〉、〈賜弟安國及第謝表〉、〈鄭公夫人李氏墓誌銘〉、〈翰林侍讀學士知許州軍州事梅公神道碑〉	七月，弟安國賜進士及第。
熙寧二年己酉	一〇六九	四九	二月，以右諫議大夫，參知政事。旋與陳升之同領制置三司條例司，議行新	〈辭免參知政事表〉、〈乞除參知政事謝表〉、〈乞制置三司條例〉、〈進戒	

			法。四月，遣使諸路察農田水利賦役。五月，上〈進戒疏〉。六月，呂誨論安石過失十事，罷知鄧州。七月，行均輸法。九月，行青苗法。十月城綏州。十一月，頒農田水利約束，置諸路提舉官。	疏〉、〈與趙卨書〉、〈宋贈保慶軍節度觀察留後追封東陽郡公宗辯墓誌銘〉、〈贈虔州觀察使追封南康侯仲行墓誌銘〉、〈贈司空兼侍中文元賈魏公神道碑〉	
熙寧三年 庚戌	一〇七〇	五〇	任參知政事。二月，韓琦上疏，請罷青苗法；付條例司疏駁，頒告天下，琦再疏申辯。司馬光亦致書於公，乞罷遣散青苗使者及諸路提舉官，以息人言。三月，以策試進士，置	〈答司馬諫議書〉、〈答曾公立書〉、〈上言尊號劄子〉、〈答手詔封還乞罷政事表劄子〉、〈遷入東府賜御筵謝表〉、〈辭免平章事監修國史表〉、〈除平章事兼修國史謝表	與韓絳並同中書門下平章事。是年，朝臣相繼罷黜者，有張方平、韓琦、孫覺、呂公著、趙抃、宋敏求、蘇頌、

年號	西元	年齡	事蹟	作品	相關人物
			刑法科。五月，罷條例司歸中書。九月，作東西府，以居執政。十二月，任禮部侍郎，同中書門下平章事。改諸路更戍法，行將兵法、保甲法及募役法	〉、〈與妙應大師說〉	李大臨、程頤、張戩、李常、呂公弼、蘇軾、司馬光、范鎮等。
熙寧四年 辛亥	一〇七一	五一	同中書門下平章事。正月，請鬻天下廣惠倉田，爲常平本錢。二月，更定貢舉法，以經義策論取士。三月，浚漳河。五月辭宰相，不許。九月，立太學三舍法。十月，行募役法。十一月，開洪澤河達於淮。	〈王補之墓誌銘〉、〈除弟安國館職謝表〉、〈除雱中允崇政殿說書謝表〉	六月，歐陽修以太子少師致仕。八月，王雱除太子中允崇政殿說書，弟安國任館職。命王韶主洮河。

熙寧五年 壬子	一〇七二	五二	同中書門下平章事。三月行市易法，五月行保馬法，八月王韶破土蕃，城武勝。頒方田均稅法。十月，置熙河路，以王韶爲經略安撫使。十一月章惇招降梅山峒蠻，置安化縣。	〈與王子醇書〉、〈上五事劄子〉、〈祭歐陽文忠公文〉	富弼致仕。歐陽修卒。
熙寧六年 癸丑	一〇七三	五三	同中書門下平章事。二月，王韶克河州。三月，置經義局，命安石提舉，王雱與呂惠卿同修撰。六月，置軍器監。九月，初策武舉之士，復熙河、洮、岷、疊、宕等州，神宗解	〈百僚賀復熙河路表〉、〈賜玉帶謝表〉、〈和蔡副樞賀平戎慶捷〉、〈次韻元厚之平戎慶捷〉、〈次韻王禹玉平戎慶捷〉	周敦頤卒。

			玉帶賜安石。十月，開直河，章惇擊平南江蠻，置沅州。		
熙寧七年甲寅	一〇七四	五四	同中書門下平章事，兼提舉經義局。正月，熊本討降瀘夷。四月乞解機務，劄子六上，而後可。薦韓絳同平章事、呂惠卿參知政事。六月，到任。七月，呂惠卿立手實法。十月，用章惇置三司會計司，以韓絳提舉。	〈乞解機務劄子〉、〈答手詔留居京師劄子〉、〈與王子醇書〉、〈觀文殿學士知江寧府謝上表〉、〈中使傳宣撫問并賜湯藥及撫慰安國弟亡謝表〉、〈差張諤醫男雱謝表〉	八月，王安國卒
熙寧八年乙卯	一〇七五	五五	二月，復任同中書門下平章事，爲昭文館大學士。	〈周禮義序〉、〈詩義序〉、〈書義序〉、〈辭僕	七月，宋割河東地方與遼。

			六月，上三經新義，詔頒於學官，進尚書左僕射，兼門下侍郎。子雱爲龍圖閣直學士。九月，兼修國史。十月，呂惠卿罷知陳州，廢手實法。	射劄子〉、〈除左僕射謝表〉、〈辭男雱授龍圖劄子〉、〈韓忠獻挽詞〉	十一月，交阯入侵，以趙卨、李憲討之。熊本降渝州獠，置南平軍。
熙寧九年 丙辰	一〇七六	五六	領尚書左僕射兼門下侍郎。七月雱卒，累疏乞退。十月，改鎮南軍節度使，同平章事，判江寧府。	〈題雱祠堂〉、〈與參政王禹玉書〉	
熙寧十年 丁巳	一〇七七	五七	還江寧，辭判府事。六月，以使相領集禧觀使。乞還節度使及同平章事印，不允。	〈辭免使相判江寧府表二〉、〈朱炎傳聖旨令視府事謝表〉、〈除集禧觀使乞免使相表〉、〈李友詢	

				傳宣撫問及賜湯藥謝表〉、〈寶文閣待制常公墓表〉	
元豐元年 戊午	一〇七八	五八	正月，進尚書左僕射，封舒國公，領集禧觀使，居蔣山。二月，罷節鉞，止食觀使館。子旁勾當江寧府糧料院。	〈封舒國公謝表〉、〈除依前左僕射觀文殿大學士集禧觀使謝表〉、〈除集禧觀使乞免使相表〉、〈孫珪傳宣許罷節鉞謝表〉、〈添差男旁勾當江寧府糧料院謝表〉、〈廬山文殊現瑞記〉、〈呈陳和叔詩並序〉	
元豐二年 己未	一〇七九	五九	爲會靈觀使，居蔣山。	〈歌元豐五首〉、〈己未耿天騭著作自烏江來予逆	蘇軾坐事下獄，貶黃州團練副使

				沈氏妹於白鷺洲遇雪作此詩寄天騭〉	。
元豐三年 庚申	一〇八〇	六〇	居鍾山，四月葬弟平甫於江寧府鍾山，志其墓。八月，奏〈乞改三經義誤字劄子〉。九月，賜特進尚書左僕射，兼門下侍郎，改封荊國公。	〈王平甫墓誌〉、〈乞改三經義誤字劄子〉、〈論改詩義劄子〉、〈答手詔言改經義事劄子〉、〈改撰詩義序劄子〉、〈封荊國公謝表〉、〈祭吳侍中沖卿文〉、〈祭北山長老文〉	吳充卒。
元豐四年 辛酉	一〇八一	六一	居蔣山。	〈答呂吉甫書〉、〈與道原過西莊遂遊寶乘〉	七月，詔曾鞏充史館修撰，專典史事。

元豐五年 壬戌	一〇八二	六二	居蔣山。進獻《字說》。	〈進字說表〉、〈示仲元女孫詩〉、〈成字說後與曲江譚君、丹陽蔡君同遊齊安〉	四月，弟安禮以翰林學士，爲尚書右丞。
元豐六年 癸亥	一〇八三	六三	居蔣山。		二月，夏入寇蘭州，六月復來修貢。 弟王安禮爲尚書左丞。 曾鞏卒。 富弼卒。
元豐七年 甲子	一〇八四	六四	居蔣山。是年春，安石有病，乞以所居園屋爲僧寺，又以田劄入蔣山。	〈乞以所居園屋爲僧寺并乞賜額劄子〉、〈詔以所居園屋爲僧寺及賜寺額謝〉	七月，安禮罷。 蘇軾赴汝州過江寧，謁安石。

年號	公元	年齡	事跡	作品	時事
				表〉、〈乞將田割入蔣山常住劄子〉、〈和子瞻同王勝之遊蔣山〉、〈回蘇子瞻簡〉	
元豐八年乙丑	一〇八五	六五	居蔣山。三月，神宗崩，哲宗即位，詔授安石司空。	〈謝宣醫劄子〉、〈神宗皇帝挽詞〉二首	高太后臨朝，司馬光爲門下侍郎。七月，罷保甲法。十一月，罷方田法。十二月，罷市易法、保馬法。
哲宗元祐元年丙寅	一〇八六	六六	四月，安石卒。哲宗贈爲太傅。	〈新花〉	二月，修《神宗實錄》。閏二月，罷青苗法，復

					常平舊法，司馬光爲尚書左僕射兼門下侍郎。三月，罷免役法。九月，司馬光卒。
元祐二年丁卯	一〇八七		二月，禁科舉用王氏之經義、《字說》。		
哲宗紹聖元年甲戌	一〇八八		四月，配享神宗廟庭，又加恩賜太師。閏四月，追贈文公。六月，《字說》解禁。十月，《字說》、〈洪範傳〉及《三經義》付國子監雕印，使學者傳		蔡卞重修《神宗實錄》。

			習。		
徽宗崇寧三年甲申	一一〇四		詔令配享孔廟，列於顏孟之次。		
徽宗政和三年癸巳	一一一三		追封安石爲舒王。子雱配享孔廟。		
欽宗靖康元年丙午	一一二六		用楊時言，停孔廟配享，改列從祀。		
高宗建炎二年戊申	一一二八		用趙鼎、呂好問言，罷神宗廟庭配享，削其王封。		
理宗淳祐元年辛丑	一二四一		削去從祀。		